Ann

Le Livre de ma Vie

Biographie

ISBN : 978-3-96787-357-3

10 9 8 7 6 5 4 3 2 1

Anna de Noailles

Le Livre de ma Vie

Biographie

Table de Matières

INTRODUCTION

Jamais la vérité ne m'a coûté à dire ; le sentiment de l'évident, du raisonnable, de l'équilibre communique à qui le possède une fierté qui ne comporte ni hésitation ni regret.

C'est un pacte conclu dès l'éveil de l'esprit avec soi-même, avec ce qu'on devine être la force, l'honneur, la mystérieuse durée. Car l'homme se sent éternel et vit selon cette fiction, bien que plus tard, assailli par la lassitude, oppressé par la clairvoyance, il ne se sente plus éternel, éternellement…

Aujourd'hui, au moment de raconter les souvenirs si précis de mon existence, la robuste et pure vérité m'apparaît délicate et redoutable. Elle a des exigences et peut nous obliger à nous célébrer comme à nous nuire.

Pour ne pas manquer à la sincérité, il me faudra parfois ne pas être modeste, dépeindre ce qu'est, chez une enfant, la vocation, la prédestination, et dévoiler ainsi l'alliance de l'humilité candide et grave avec un puissant orgueil. « Nous n'égalons pas nos pensées », écrivait Bossuet. Cette affirmation qui, tout d'abord, séduit – car l'être actif se sent le serviteur malaisé de sa vigueur spirituelle –, n'est plus exacte dès qu'on la médite. La passion, l'instinct, le subconscient impérieux et secourable transportent les esprits doués de toutes les amours au-dessus de leur raison même. Par une aptitude que j'ai été obligée de constater dès mon enfance, j'ai égalé, j'ai dépassé mes pensées, j'ai volé au-dessus d'elles. Si attachée que je fusse à l'intelligence, et jusqu'à me sentir comme en prison, et volontairement, entre les chaînes mobiles, mais inexorables de la logique, j'ai connu un au-delà du possible. Une sorte d'ivresse plénière m'installait souvent avec aisance dans un domaine que le cœur déborde, où la créature, n'ayant plus aucune sensation d'entrave, dispose d'un univers sans lois, et pareille aux dieux, exerce toutes les vertus prodigues.

Je ne songeais pas à combattre la témérité qui naissait de moi-même, de l'ardente liqueur incluse dans mes veines. La plus énergique sécurité me prêtait un appui total. Du haut d'une zone sans voussure, je descendais vers les choses, je fraternisais avec les éléments. Que j'eusse tous les pouvoirs, l'excès de mon désir, l'absence de contradiction intérieure me l'affirmaient. J'avais la certitude d'être capable de marcher sur les flots. Parfois, au bord du lac Léman, quand la nappe tiède d'une eau bleue bordée d'écume m'invitait à la parcourir, j'ai vu se réduire si étroitement le lien tyrannique qui nous retient à l'existence, que je me suis sentie chanceler avec une préférence égale entre la vie et la mort. Comme on l'imagine bien, l'invincible commandement de la vie l'emportait, mais j'étais en dehors de cette décision ; je demeurais donc sans culpabilité, sans faiblesse, sans défaut envers l'extravagance.

La lumière me fit trébucher d'émerveillement dès mes premières années. J'ai élevé vers le soleil, dans le mutisme de l'impuissance enfantine, des prières bourdonnantes d'amour qui empruntaient leur encens à la sauge duvetée, aux plantureuses rhubarbes, aux acanthes pourprées des massifs du jardin paternel. Non seulement l'éclat du jour me tenait comme inclinée sous son irrésistible joug, mais, effrayée par la funèbre figure des nuits aux constellations insistantes, par cette tribu bohémienne des astres égarés et comme sans abri, je bénissais le feu captif des demeures, celui des lampes, celui de l'âtre. Au cours de mon adolescence, j'ai souvent épouvanté mes amis par le tranquille élan avec lequel je bousculais dans la cheminée, du bout d'une mince bottine ou d'un soulier doré, le bois incandescent. Je m'avançais dans le foyer avec une absurde alacrité, prononçant ces mots présomptueux, toujours sincères : « Le feu et moi, nous nous connaissons ! » Par ces imprudences spontanées furent roussis et consumés les précieux pinceaux d'une fourrure de zibeline, pesant au bas d'un manteau, et, un soir, des volants de dentelles s'éteignirent en rougeoyant entre les mains empressées de spectateurs moins fâchés contre moi qu'ils n'étaient émus.

Il est vrai que mon intrépidité n'ignorait pas ce que l'audace et le péril ajoutent de séduction à la faiblesse féminine. La pusillanimité, réelle ou feinte, les défaillances, les cris ont le même prestige : je ne m'en privais pas non plus. N'étant encore que toute petite fille, je souhaitais attirer la tendresse des hommes, les inquiéter, être sauvée par eux, mourir entre tous les bras…

***

Je ne me dissimule pas la difficulté que j'aurai à raconter mes souvenirs. Plus la mémoire est vivace, colorée, rigoureusement fidèle, puis il serait opportun de lui imposer une démarche bien réglée. Elle veut bondir, tout offrir, s'élancer, retourner en arrière ? Soyons indulgents envers sa tâche, accordons-lui la liberté. De préférence à un récit ordonné, présentons les sinuosités de la pensée, qui se divise en même temps qu'elle se développe ; reproduisons la palpitation de l'instant même où nous combattîmes contre les circonstances ou fîmes alliance avec elles. Combien de fois ai-je soupiré, du fond de ce lit où, dès mon adolescence, j'ai supporté de cruels alanguissements : « Ah ! si je pouvais envoyer ma tête chez l'imprimeur ! » Oui, si les images pouvaient passer directement de la substance qui les engendre à la page typographique, si les arabesques de l'esprit s'inscrivaient sur un feuillet comme la fougère aux variétés infinies se dessine dans l'herbier du savant, nous aurions peut-être l'empreinte de la vérité. Et, pourtant, ce livre-là lui-même ne serait pas exact. Il ne révélerait pas suffisamment la délicate ou violente acrobatie de l'idée, la méditation, la témérité, cet état d'univers, dirai-je, qui, hors du sommeil, ne m'a jamais abandonnée.

Je me résous à écrire des Mémoires plus que je ne le souhaite. Un poète sur qui tout le bonheur et le malheur du monde se sont abattus, qui, pour être plus vrai, s'est exprimé avec une sorte d'humble impertinence envers les lexiques et les grammaires, assemblant les vocables comme on hèle le passant, l'inconnu, dont on attend un prompt secours, croit s'être livré entièrement dans ce qu'il a d'individuel et dans ce que la poésie contient d'universel. En écrivant mes poèmes, dans l'excès du plaisir ou de la souffrance, il me semblait que je dépeignais pour autrui non seulement l'altitude et l'abîme où la vie me situait, mais encore que je leur désignais les lacets du chemin et les raisons qui me conduisaient. Une âme transparente, pensais-je, en qui s'affirme si fortement la vie, qui aime si puissamment ce qu'elle aime, et aime encore ce qui pourrait lui déplaire, est persuasive, convaincante, contagieuse. Je me trompais. Peu d'êtres nous connaissent. On peut influencer autrui, l'imprégner, l'envahir même, on ne le transperce pas, on n'interrompt pas en lui sa solitaire et dure continuité par laquelle il nous est contradictoire ; la passion seule, sa férocité, son acquiescement habile et tendre à tous les sacrifices, parvient à mêler les êtres. De là, sans doute, cette tentation perpétuelle de l'amour et ce besoin d'une tyrannie et d'une servitude alternées qui permettent le brisement et l'absorption de ce que l'on convoite. L'étonnement que m'ont si souvent procuré les interprétations les plus déformantes, cette absence de nous qui se trouve dans la plupart de nos biographies, m'ont, enfin, décidée à me prononcer moi-même.

Le bienfait de l'écriture personnelle est donc probablement qu'on y entend le son de la voix, l'émotion charnelle, les vibrations physiques, la respiration. Écoutons ce cri défensif d'un philosophe irrité : « Le style est inviolable ! » En effet, autant cette appréciation est juste, autant il est juste de constater l'unicité de tout individu. Qui solliciterions-nous d'être nous, de nous représenter, de nous révéler dans les mouvements de notre intelligence et de nos passions ? Nos défaillances mêmes, nous les voulons marquées de nos tremblements et de nos sueurs, chargées de ces sursauts d'énergie, de ces puissantes résurrections que nous sommes seuls à connaître et à pouvoir fournir.

« Qui téléphonera quand je serai morte ? » me suis-je écriée souvent quand j'entendais à mes côtés une voix me rendre le service de me suppléer. Ces molles ou timides paroles, ces irrésolutions, cette ligne onduleuse de la volonté, ce duel sans vigueur avec un silence adverse, non, ce n'était pas moi. Si ces mêmes voix avaient eu à s'interpréter elles-mêmes, sans doute eussent-elles répondu avec perfection au vœu de l'interlocuteur. Mais celui qui nous attend, qui ne veut que nous, qui a pour espoir de se nourrir de nous et de s'en abreuver, qu'a-t-il à faire de tels travestissements ? Et moi-même, sévère à moi-même, j'ai pu dire souvent, dans mes instants de grande fatigue, d'inertie sans recours, de désabusement et de juste épouvante devant le néant de l'infime comme de l'infini : « Je me sens inutile, mais irremplaçable… »

CHAPITRE PREMIER

Paris. – L'hôtel de l'avenue Hoche. – Décor citadin. – Nostalgie de la nature. – Mon père. – Autour de la table d'Amphion. – Ma mère. – De la splendeur orientale au brouillard britannique. – Première leçon d'anglais. – La gouvernante et le prestidigitateur. – Douleur d'enfant.

Je suis née à Paris. Ces quelques mots m'ont, dès l'enfance, conféré un si solide contentement, ils m'ont à tel point construite, j'ai puisé en eux la notion d'une chance si particulière et qui présiderait à toute ma vie, que je pourrais répéter ce vers de Verlaine :

L'amour de la patrie est le premier amour...

Ainsi illustrerais-je une de mes vérités, car on sent bien que le poète a pour privilège d'être multiple, de pouvoir prouver sa sincère abondance, de n'être enfermé en rien. Chez lui, le double choix n'est pas contradiction, mais prolongement du raisonnement et croissance de la sagesse. Les sentiments que je dépeindrai, même tout uniment, ne seront donc jamais absolument simples, quelle que puisse être leur apparente netteté.

Je suis née à Paris, boulevard de Latour-Maubourg. Je n'ai pas gardé le souvenir précis du lieu où s'élevait la demeure vitrée comme une serre chaude que me décrivait souvent ma mère, devant laquelle un jour elle me conduisit, et où j'avais passé les premiers mois de ma vie. Ma mémoire s'éveille dans un opaque hôtel de l'avenue Hoche, spacieux et haut, serpenté par des escaliers recouverts de laine rouge, que surchargeaient et fleurissaient les roses, les verts, les bleus fanés des tapis d'Orient. Le salon le plus important de l'hôtel était habillé de peluche couleur de turquoise, meublé de canapés et de sièges dorés, et deux larges pianos y étalaient, côte à côte, le désert laqué de leurs reflets de palissandre, sous un haut palmier languissant. Les plantes vertes des appartements m'ont, en souvenir du palmier de mon enfance, attristée désormais comme le fauve soumis des cirques, comme la Malabaraise faisant emplette de provisions aux étalages d'un marché de Paris.

D'un autre côté du vestibule, un boudoir oriental, brillant, tintant, pourrais-je dire, comme des bijoux de bazar, précédait une galerie où s'encadraient dans le chêne sculpté des portraits d'aïeux portant sceptres et couronnes. Aïeux paternels, ayant régné sur le Danube et les Carpathes, adoucis par le sang plus délicat de leurs mères et de leurs épouses grecques. Leur légende, que mon père m'expliquait, me les montrait tout-puissants et implacables. Pourtant, l'un d'entre eux tenait entre ses mains une colombe. Je sentais, en les regardant, que, depuis des siècles, je les avais quittés pour devenir la petite fille toute neuve de l'avenue Hoche et d'un jardin de Savoie. Cet austère chemin généalogique, formé par de sombres visages, aboutissait à une véranda en bois vermeil qui me semblait enchanteresse. Des fleurs de soie ornaient le léger treillage croisé en losanges. Un divan arrondi faisait gonfler ses coussins en gaze de Turquie, et de vastes baies contemplaient l'avenue Hoche en son sens le plus large, le plus pur, le plus noble – comme on dirait d'un fleuve.

Pourtant, ce riche décor citadin me désolait de mélancolie. Tout n'était que pierre écrasante à mon cœur oppressé. Les murs du secret *Tattersall*, qui abritait mystérieusement un luxueux marché de chevaux, faisaient un lointain vis-à-vis à notre demeure. Le *Tattersall*, paysage circonspect et pierreux de mon enfance, est aujourd'hui disparu. Je lui savais gré de n'avoir qu'une médiocre hauteur qui ne me privait pas de la vue du ciel. Chaque matin, à l'heure où le branle-bas de la voiture du laitier pénétrait dans notre sommeil enfantin et le dérangeait, la poésie des cloches émanait d'une invisible église enfouie dans la grisaille des constructions et me consolait du lever du jour.

Je n'ai pas aimé la demeure élégante de mes parents, je n'ai pas aimé l'avenue Hoche qu'appréciaient et honoraient fort les Parisiens, victimes des perspectives resserrées ou des bruyants boulevards. Cet aspect de mausolée, de cimetière surhaussé qu'avait notre horizon, cet avare oxygène qu'il nous distribuait, ne me paraissaient pas être le lieu raisonnable où se développent le corps et l'esprit des enfants des hommes. Et pourtant, au printemps, la nature, si durement chassée des villes, s'efforçait de nous apporter son regard, sa tiède poignée de main, son encouragement. Les platanes robustes du quartier de l'Étoile égayaient par leurs bourgeons la grise avenue dès le mois d'avril, s'épanouissaient en juin et puis laissaient rouler sur les trottoirs leurs fruits délicats, sorte de molles noisettes épineuses, d'un vert réjouissant. Mais cette faible offrande, pas plus que le voisinage du parc Monceau, où, pourtant, abondait la verdure morcelée, ne me persuadait. Je ressentais avec la tristesse amère des profondes loyautés et de l'espérance trahie la différence du don que font les villes au regard des généreuses campagnes. Je voyais bien que, dans le parc Monceau, orgueil végétal de notre voisinage, une colonnade faussement en ruine entourait un étang de couleur grège, où quelques cygnes et des canards aux teintes franciscaines rehaussées d'une lueur de lophophore se résignaient à la nostalgie dédaignée des bêtes. J'entendais bien le lointain et triste effort de l'omnibus et j'apercevais, roulant dans les avenues sablées du parc, des fiacres surprenants par le cheval délabré, le cachot vitré de la voiture et les blanches pèlerines étagées du cocher, tandis que, le long des pelouses encombrées de nourrices et d'enfants, des sergents de ville semblaient commander aux moineaux.

J'étais un cœur que l'on ne trompait pas. J'aimais la nature. Enfant, j'en eus faim et soif, je ne voulais rien qu'elle. Loin d'elle, je mourais, et le chalet, les routes, le lac, les collines de Savoie me causaient, quand j'étais parmi eux, un enivrement et, quand j'en étais éloignée, une détresse, dont dépendaient ma santé, ma secrète humeur : énigmes qu'une enfant, dans sa mystérieuse bravoure, n'interroge pas. Sur les trottoirs de Paris, mon esprit, façonné avec précision, se représentait la huppe violette de la scabieuse, son arôme effilé, le papillon blanc strié de noir qui s'échappait de la fleur, le merisier aux cerises exiguës, l'agneau des pâturages trempé de rosée, aussi passionnément, aussi désespérément que l'amant voit, en songeant et sous l'influence du désir, la chevelure crépelée de la jeune fille qu'il espère obtenir sans en avoir la formelle certitude.

Je n'aimais donc pas l'avenue Hoche, vaste et claire, ni l'hôtel au portail blond et verni qui s'ouvrait sur la voûte sonore où nous nous arrêtions pour prendre le chemin des appartements, tandis qu'en avant de nous apparaissaient la cour et les écuries couleur de brique, qu'enveloppait une vague odeur animale. Mais c'est là, pourtant, que je reçus toutes les leçons de ma petite vie, car, dans le jardin du lac Léman, je n'écoutais que les voix de l'univers.

Dans la maison de Paris, comme dans la demeure d'Amphion, près d'Évian, il y avait, immenses à nos yeux par leur liberté et leurs privilèges sans bornes, mon père et ma mère. Mon père, ancien élève de Saint-Cyr, ne tarissait pas de louanges sur la dure discipline à laquelle il s'était plié avec passion dans la sévère école, qu'il vénérait comme un temple. Il se réjouissait d'avoir souffert du froid, du lever avant l'aube, de la nourriture rebutante, des exercices pénibles, des ordres reçus et exécutés, et, comme tout humain qui a triomphé de l'esclavage, il y avait puisé un fier sentiment de virilité. Autoritaire et bon, ami des jardins et des poètes classiques, aimant à s'entendre parler, aimant à commander, aimant à bâtir, sa personne généreuse m'inspirait un grand amour et une peur extrême. D'abord, il m'étonnait. Le premier homme étonne une petite fille. Je sentais bien que tout dépendait de lui. Je n'étais pas sûre que sa justice fût telle qu'elle eût toujours raison. Je l'avais vu s'irriter contre les jardiniers, contre les marins de notre gracieux bateau du lac, contre les serviteurs. Dans ces moments-là, j'avais prié Dieu dans le coin des chambres pour que mon père se tût ou que le monde cessât. Je ne pouvais supporter, quelle que fût ma vénération pour mon père, qu'il s'emportât contre ceux qui ne se sentaient que le droit du silence. Sans que je me permisse de le juger, mais avec un sentiment de regret, je trouvais que mon père citait Corneille ou Racine solennellement, sans opportunité et à la façon salutaire des proverbes. Il se servait d'eux pour étayer sa morale, pour donner des conseils, pour répandre les nobles craintes.

Celui qui met un frein à la fureur des flots
Sait aussi des méchants arrêter les complots…

disait, soudain, la voix de mon père, qui, occupant un fauteuil rustique, buvait paisiblement une tasse de thé sur le balcon du chalet d'Amphion, dans une atmosphère de paradis, car des pétunias vanillés et des hortensias roses, aux floraisons profuses, offraient le spectacle de la jeunesse du monde inclinée sur la transparence de l'eau.

Tout enfant, la poésie me semblait matière si sacrée que j'eusse voulu la rendre secrète, l'arracher au bon usage des exemples instructifs. Mais j'étais liée à mon père comme le surgeon du chêne est lié au chêne, et je réprimandais en moi cette délicatesse, cette vive susceptibilité, qui me portaient à lui trouver des torts et à éprouver par lui un malaise confus.

Mon père s'était marié tard et avait vécu en superbe célibataire les dernières années du second Empire. Il se plaisait à narrer, à l'heure des repas où nous étions présents, si petits que nous fussions, et torturés, le soir, par le vertige du sommeil, la politique des Tuileries. Devant notre imagination effrayée se déroulaient les brillants combats du Mexique, la prise de Puebla, la guerre de 1870, l'arrachement de l'Alsace-Lorraine à la France. J'ai été élevée parmi des académiciens (mystérieux pour moi par les noms similaires de Camille Doucet et de Camille Rousset), des diplomates, des écrivains – autour d'une table trop abondamment fournie, où, déraisonnablement, rien ne nous était refusé –, dans le récit des provinces perdues, dans les discussions sur les responsabilités militaires et civiles, enfin, dans le sentiment d'un désastre qui remplirait à jamais l'âme de chacun et de tout un peuple. Rêveuse, je me sentais responsable de ne pouvoir réparer la catastrophe. Le nom de Bismarck traversait les conversations à la manière d'un fléau humain qui avait contristé la conscience du monde, nui à la patrie du soldat de fer comme à celle qu'il avait vaincue ; celui du fils de Guillaume Ier, Frédéric, époux de l'impératrice Victoria, dévouée aux coutumes de sa natale Angleterre, s'enveloppait, au contraire, d'anecdotes sympathiques. Les voix changeaient de ton en parlant de lui ; on citait ses mots historiques empreints de générosité et de compassion. J'étais étonnée, mais contente, dans mon souhait de conciliation, dans mon amour de tout, qu'on pût avoir combattu, être fils d'empereur, héritier d'une charge cruelle, et obtenir autour de la table d'Amphion l'hommage de nobles paroles.

Ma mère était parfaitement belle, sans excès de lueur, avec modération, comme l'exige le dessin grec. Son profil célèbre, à qui allaient les louanges méritées par l'exceptionnel, la netteté des modelés, l'encadrement du précis regard sont un témoignage de la durabilité des vertus physiques dans la race. Ma mère ressemblait, sans nul défaut, aux gracieuses Vénus des musées d'Athènes, de Florence, de Naples, de Sicile ; mais l'expression de son visage décelait une naïveté rieuse, un repos innocent dans le charme, qui ne l'apparentaient plus aux élégantes déesses de marbre, obsédantes par la ruse voluptueuse.

La beauté de ma mère, son radieux talent de musicienne étaient le trésor et la foi inébranlable de notre famille. Nous eussions douté de la clarté du jour, mais non de la valeur attachée à la pureté d'un front que prolonge la ligne impeccable d'un nez fin et droit. Nous la contemplions aussi avec ferveur quand elle s'approchait du piano. Ma mère, anxieuse, refusait parfois de s'asseoir sur le tabouret faisant face au clavier. Des amis fanatiques l'y contraignaient. Elle donnait alors, par sa résistance, ses lamentations, ses larmes, le spectacle d'une captive de Delacroix, brutalisée par les vainqueurs. Et puis, apaisée, maîtresse d'elle-même, l'autorité de ses mains énergiques et volantes, semblables à des tourterelles, arrachait à l'ivoire et à l'ébène les plus beaux sons, les plus profonds, les plus allègres que l'on puisse entendre.

« Je suis issue tout entière du bois de ton piano », ai-je pu dire, en toute vérité, à ma mère, au moment où, dans un sommeil que l'obsession de la musique enchantait encore, elle quittait doucement la vie, ayant sur les lèvres les noms de Beethoven, de Mozart, de Chopin.

Et, en effet, j'étais si redevable du don de poésie à son ravissant génie qu'à l'heure accablante et naturelle où, penchée sur ma mère, je voyais en elle, à l'état de clarté, ce que nous avions de tout à fait commun, je me suis entendue prononcer cette phrase qui nous mêlait l'une à l'autre par-delà le tombeau : « Je suis bien heureuse que ma mère ait écrit quelques poèmes qui, peut-être, ne périront pas. »

***

Née à Constantinople, d'une antique famille d'humanistes de l'île de Crète, ma mère fut transportée peu après sa naissance dans une ambassade de Londres, où elle demeura jusqu'à son mariage. Son père, entouré de considération, y représentait la Sublime-Porte : mots dorés, appellation fabuleuse qui me faisaient confondre la nation aux trésors byzantins avec une arche sans limite et m'emplissaient de respect envers un tissu bariolé, justement dénommé « le châle du Sultan ».

Heureuse à Paris, ne pouvant vivre ailleurs, ma mère, fidèle et poétique, se reportait pourtant avec nostalgie aux sensationnels brouillards de l'Angleterre. Elle nous dépeignait fréquemment, avec une sorte de béatitude qui accorde une tendre part au chagrin, l'hiver britannique, la tristesse de l'orgue de Barbarie, étouffée dans la brume opaque et jaune, les bougies allumées dès l'aurore, l'ennui du dimanche, les loisirs évangéliques rendus obligatoires. Ces plaintes heureuses me font songer à la sirène légendaire dont parle Michelet et qui, capturée dans un port de Hollande, se fit religieuse ; elle émerveillait par sa grâce le couvent qu'elle avait choisi ;

elle y était aimée, choyée, à l'abri de toutes les brutalités du climat ; mais, parfois, le soir, quand un pâle soleil descendait sur les eaux, elle regrettait les gouffres mouvementés, l'âpreté saline et versait des pleurs en regardant la mer…

Nos parents, nos amis ne parlaient devant nous et entre eux que le français ; aussi, avec la conclusion rapide que les enfants sont obligés d'apporter aux courts événements de leur vie successivement brève, j'en avais inféré que la France seule était une nation et comptait dans le monde. Les gouvernantes allemandes, anglaises, un vieux maître d'hôtel bavarois me semblaient des personnages solitaires, égarés, que l'on avait recueillis et qui, attachés à notre bonne fortune comme il l'eussent été à notre adversité, faisaient partie d'une portion solide de la planète, que nous représentions, et qui leur était échue en échange de cette espèce de rien qui nous les avait livrés. Aussi, ma première leçon d'anglais devait-elle me surprendre. Elle nous fut donnée par une pittoresque vieille Irlandaise, hantée par des points de tricot et la réussite de pâtisseries au gingembre. L'aimable sorcière, rhumatisante, au front enveloppé de lainages, nous fit balbutier un abrégé du règne des Édouard, des Jacques, des Henri. La guerre des Deux-Roses, perdant tout sens pour moi, se mit à fleurir devant mes yeux et je la situai dans un jardin.

« Comment s'est organisée votre première leçon d'anglais ? » s'enquit, le soir, mon père ; et je répondis du fond du cœur, avec une sérénité où nul étonnement ne figurait plus : « Nous avons appris quelques pages de l'Histoire de France en anglais. »

La pensée que l'Angleterre avait une histoire comme la France, c'est-à-dire un long passé qui réunit entre eux des hommes, leur communique par le climat, la constitution physique, les usages, les préceptes, les victoires de tout ordre, un sentiment d'unité, d'orgueil et de supériorité inébranlables, n'aurait pu s'installer dans mon esprit. Exclusivité de l'amour chez l'enfant, fruit de la tendre, prudente et constructive ignorance !

Ce n'est cependant pas à mes leçons d'anglais, ni aux descriptions que ma mère me faisait des pelouses luxueuses de Hyde Park recouvertes de brebis avec leurs agneaux, que je dois une part de mon enchantement pastoral. Une gouvernante allemande traînait ma petite personne et mes petits pieds dans les allées ravissantes du jardin d'Amphion, et elle m'apprenait dans sa langue le nom des saisons, des mois, des fleurs, des oiseaux. Elle était rude et sans bonté ; elle rendit notre enfance très malheureuse ; mais la piété envers la nature habitait en elle : par son inconsciente action, elle me lia d'amitié éblouie et familière avec ce qu'il y a de sublime et de modeste également dans l'univers. Je lui dois mes rêveries oppressantes jusqu'à la souffrance devant les ciels du soir et la lune songeuse, à qui nous adressions des prières chantées, comme aussi à la neige et au muguet. Je lui dois, à elle, souvent brutale et qui nous inculquait les vertus par boutades qui ébranlaient notre cœur, mon amitié et mon respect pour le pauvre et le mendiant, mon affection pour la petite ville avec son clocher, son auberge, son humble bijoutier et son épicerie ; mes relations passionnées et attentives avec les plantes, l'abeille, le colimaçon, les ablettes arrêtées dans la transparence de l'eau bleue du lac Léman.

Je dois à cette gouvernante sans tendresse, mais poétique, le bercement des contes de fées lus par elle à mon chevet, pendant les convalescences des maladies enfantines ; je lui dois enfin, en raison des chagrins qu'elle m'a fait éprouver, ce premier désordre violent dans la douleur qui augmente l'individu et le situe sur un sommet sensible, où, désormais, obéissant à l'habitude et surtout à l'instinct, il rejoint son lieu de crucifixion. Un soir où nos parents avaient fait venir d'Évian à la villa d'Amphion un prestidigitateur, je connus l'extase dispensée par ce qui jaillit et s'affirme sans déceler son origine, par les merveilles de la fantaisie aux libertés apparentes : colombes s'envolant d'un chapeau, métrage infini d'un ruban dévidé au bord de la manchette de l'artiste, mouchoir mis en pièces, escamoté et soudain rendu réparé à son possesseur penaud mais content. La séance de miracles terminée, j'allais aborder dans mon lit un sommeil enchanté, lorsque la cruelle gouvernante me dit ces simples mots : « Moi, j'étais mal placée dans le salon de vos parents, je n'ai rien vu. » Mon désespoir d'avoir entendu cette phrase fut tel et telle était ma certitude que notre gouvernante avait enduré une inguérissable déception en étant privée de la vision du prestidigitateur, que je puis attacher à ce soir déchirant la naissance du sentiment qui a toujours troublé ma vie et que j'ai si souvent exprimé par ces mots : « J'ai désiré de mourir pour cesser d'avoir pitié. »

Un chagrin aussi véhément, mais celui-là profitable, car il est bon que la compassion entre en nous non seulement par des chemins aisés et délicats, mais aussi par des entailles et blessures, me fut encore procuré par elle au cours d'une promenade aux abords du village d'Amphion. Le chemin large et bombé s'allongeait entre le lac de cristal et les vergers des collines. Il était jonché, ce jour-là, de courtes branches jetées à terre par le vent et de vertes noix dont l'odeur de brou, alerte et astringente, marquait pour moi le charme du rugueux octobre. La sévère créature qui nous accompagnait affirma, sans raison et sans preuve, que j'avais ri en voyant passer deux pauvres naines savoyardes, fort âgées en leur taille difforme et, de plus, goitreuses, sourdes et muettes. Aujourd'hui encore, je souffre en pensant que je fus accusée d'une moquerie qui m'eût semblé criminelle. Les mots « sourd » et « muet », par réminiscence, transportent toujours mon esprit dans une région mystérieuse où l'injustice faite aux enfants sans défense, le spectacle de l'indigence et le sentiment de la charité composent un tableau dans lequel l'inique et le repoussant se mêlent à quelque chose d'angélique.

Le jour où la dure surveillante nous quitta pour rejoindre sa patrie me donna l'avant-goût de la mort. Je l'aimais. Elle avait, sans le comprendre et d'une main distraite et rude, touché et frappé le cœur le plus sensible et le plus complet. Si l'abeille de nos jardins et les verts bourgeons n'ont pas, pour mon rêve, de traduction immédiate en anglais, les mots : *die Biene summt, der Frühling* et *das junge Grün* ajoutent à mon univers visuel et musical. Lors de ce départ bouleversant, on nous confia, par nécessité et dans l'intention d'adoucir notre peine, à une plantureuse, débonnaire et spirituelle Belge, chargée chez nous du soin de la lingerie. Elle tenta de dissiper l'affreuse tristesse que je partageais avec ma sœur, en nous promenant à travers Paris, en nous faisant entrer chez le pâtissier, en nous apprenant une petite chanson rustique au cours de laquelle – je m'en souviens bien, tant le sentimental dégoût de ce jour est fixé en moi – « *l'oiseau fait son nid !* ». Enfin, elle nous conduisit chez un papetier et nous acheta deux petits calepins reliés en cuir de Russie, dont elle nous fit respirer le parfum d'encens, de gomme arabique. Une nausée de l'âme qui, depuis le matin, m'envahissait, atteignit là son point le plus élevé. Il faut que les enfants ne puissent pas mourir pour que cet après-midi m'ait laissée vivante. Depuis ces instants inexprimables, je ne crus pas à la consolation par le divertissement, par l'innocente débauche de l'âme à quoi des créatures charitables nous engagent. J'ai su depuis, et je ressens chaque jour, que l'enfant que j'étais, rivée au souvenir, immobile dans la douleur, ne s'était pas trompée.

CHAPITRE II

Nuit d'angine. – M. et Mme Philibert. – Le 14 Juillet. – La Marseillaise. – La reine Victoria sur la Corniche. – Un fidèle du comte de Chambord. – Le lac de Genève. – L'exilé de Prangins. – Bonaparte, j'aime en vous… – Napoléon bâtisseur et devin. – L'astre du héros. – Le séducteur illimité.

Jamais l'idée ne me vint que mes parents fussent des étrangers. Sur quoi établissais-je ce sentiment d'unité entre eux et le pays qui m'avait vue naître ? Les parents, en ce temps-là, ne parlaient pas beaucoup à leurs petits enfants ; ils étaient fiers de leurs dons, de leur aspect, mais s'en remettaient de tous les soins et de tous les éclaircissements aux bonnes et aux gouvernantes. Très malade d'une angine supportée avec le rude et nécessaire courage de la petitesse, je vis tout un soir des serviteurs m'entourer tendrement, et c'est vers minuit seulement qu'apparut, au pied de mon lit, ma mère, ravissante, coiffée d'un feutre de couleur crème que voilait un tulle pâle où se cachait une rose thé. Les médecins, amoureux d'elle, lui avaient intimé l'ordre de se distraire, d'aller au théâtre, de ne pas veiller sa petite fille. À partir de ce jour-là, j'ai porté tout mon amour, toute ma pitié sur les malades eux-mêmes et non sur la famille des malades, à qui s'adressent généralement la sympathie, la compassion et les condoléances.

J'ai raconté ce petit incident d'une nuit d'angine pour établir la distance qui existait alors entre les enfants et les parents les meilleurs. Nous n'interrogions pas les nôtres ; aussi, n'est-ce pas par eux que j'avais établi ma certitude de notre nationalité. Il y avait, dès le portail de l'avenue Hoche franchi, une vaste pièce transparente qu'occupaient deux personnages importants, M. et Mme Philibert, les concierges. M. Philibert était un vieil homme tout en relief, et sa femme présentait, sous des bandeaux de cheveux gris, un charmant visage aplani de vieille mousmé normande. M. et Mme Philibert, installés et comme plantés à l'entrée même de l'hôtel, bénéficiaient justement d'une réputation sans égale. Leur honnêteté, leur bonhomie, la rudesse pittoresque du mâle, son franc-parler respectueux, l'obligeance et l'empressement soumis de la femme, plus courtoise et qui gourmandait son mari pour la familière verdeur de ses propos, dictaient une loi à notre maison.

Que mes parents, que mon frère, que ma sœur et moi puissions être d'une autre nation que M. et Mme Philibert, ne pas fêter comme ils le faisaient le 14 Juillet, ne pas arborer, ce jour-là, le drapeau tricolore à nos fenêtres, comme ils le faisaient à la leur ; enfin, que nous puissions ne pas vivre et mourir pour ce qui leur était cher et sacré m'eût semblé impossible autant que comique.

Le 14 Juillet était pour nous un jour remarquable dont nous ne démêlions pas bien le sens ; quelques personnes de notre parenté (deux sœurs de mon père étaient devenues françaises par leur mariage) quittaient Paris dès la veille, comme si elles abandonnaient la ville à une réjouissance immodeste et indigne de leur estime. Par contre, plusieurs de nos amis, nous le savions, se levaient de fort bonne heure et se dirigeaient vers les plaines de Longchamp avec une éclatante et sensible satisfaction. Le personnel de notre maison lâchait soudain tous les ustensiles du ménage et se précipitait aux fenêtres quand résonnait, dans le lointain, *La Marseillaise*, alors que les troupes, après la revue militaire passée à Longchamp, regagnaient les casernes de la capitale. *La Marseillaise* m'enivra la première fois que je l'entendis, et pour toujours. Ce que ce chant du courage contient d'appels vers le plus loin et le plus haut que soi, l'arrachement qu'il opère sur la paresse et la prudence, ces cris d'amour, de révolte, de délivrance que les nations lui empruntent pour affirmer leur indépendance, *La Marseillaise*, enfin, se dresse dans ma pensée telle qu'on la voit, taillée dans la pierre, par Rude, sur l'Arc de Triomphe, entraînant des adolescents qui se livrent entièrement à elle.

Mon père, dont les ancêtres et le père avaient régné sur la Valachie, qui était par tradition le filleul de l'empereur d'Autriche et tenait à grand honneur qu'un de ses ascendants eût entretenu une correspondance avec Louis XIV, loin de proférer des paroles d'inimitié contre la République, en parlait avec respect et optait pour elle.

La situation de mon père ne me semblait pas définissable. « Où est la couronne ? » demandais-je souvent à mes bonnes, et j'ajoutais : « Est-ce qu'une petite fille a le droit aussi de mettre un cercle d'or sur sa tête ? » Devant le mutisme ou les réponses indifférentes des bonnes sur ce sujet, je cessai de croire à son importance et de m'intéresser à des règnes sans parure.

Ma mère, émue d'avoir été élevée sur les genoux de Victoria, reine d'Angleterre, lui portait un respect si grand qu'elle ne permettait pas qu'on dît devant elle que la reine avait le goût des apéritifs et qu'elle accordait une familière bienveillance au superbe et modeste Écossais en costume national que l'on remarquait toujours à ses côtés.

L'année de mon mariage, je vis à Nice, dans un landau découvert, sur le chemin or et bleu de la Corniche, et puis portée à bras par des Orientaux étincelants comme en représentèrent plus tard les ballets russes, une très grosse et très courte petite dame en noir au visage de hibou fatigué, au chapeau burlesque, orné d'une de ces voilettes de gaze, d'un bleu de bleuet qui, jadis, évoquait des amazones cavalcadant sous le feuillage ou des voyageuses intrépides. Je contemplais en cette forme lourde et basse, qu'enveloppaient mystiquement les lauriers et la vénération d'un peuple immense, la reine Victoria, idole de ma mère. Mais ma mère, quelque amour qu'elle eût voué à la vieille souveraine qui avait distingué et honoré particulièrement son père, parlait avec déférence de la République française.

Mes parents, dont je connaissais et méditais les origines, mais que je considérais toujours comme les compatriotes actuels de M. et Mme Philibert et de moi-même, née à Paris, étaient des hôtes courtois. Ils ne se permettaient sur aucun sujet de politique française des observations désobligeantes.

« C'est un légitimiste », les entendis-je prononcer un jour à voix secrète, au cours d'une de nos réceptions, et leurs regards s'attardaient sur un aimable vieux monsieur, d'aspect frivole et parfaitement gai. Le ton que mes parents avaient pris pour désigner le visiteur qui leur était amené par un groupe d'amis était, je dois l'avouer, un ton chagrin, comme celui que suscite une obstination vaine, un enfantillage. Aussi mon attention s'éveilla-t-elle. Lorsque s'acheva la réunion, mes parents s'entretinrent longuement du sincère courtisan qu'une noble fermeté attachait au destin du comte de Chambord et au culte du drapeau blanc. L'aventure historique et infortunée du drapeau blanc me stupéfia ; mon esprit ne pouvait concevoir l'inopportunité ; je la blâmais, je l'opposais au jovial « Paris vaut bien une messe », de l'agissant Henri IV. Un attrait puissant, invincible pour ce qui réussit, n'est pas stérile, porte des fruits, me souleva contre une préférence que la chance devait léser. Et puis, le drapeau tricolore m'avait parlé son langage violent et résolu ; je le voyais aussi flotter familièrement au haut des mâts qui ornaient le petit port de notre jardin d'Amphion. Comment n'eussé-je pas pris en pitié le vieil homme respectable qui voulait lui substituer un linceul ?

Sans fanatisme – en cela je devais, un jour, différer d'eux –, mon père et ma mère aimaient, l'un comme l'autre, rendre hommage aux personnalités considérables, quelle que fût la situation sociale qu'elles occupassent. Par eux, j'ai connu, ressenti et conservé cette passion de l'unique, qu'un philosophe a résumée en cette phrase inattaquable : « L'humanité vit en peu d'êtres. » Le sentiment de respect qui nous attache à la supériorité et nous élève au niveau de l'exceptionnel, passe au-dessus du médiocre, vient rejoindre la foule, s'y mêler, combattre avec elle pour ses justes besoins, pour sa sagesse que le nombre même fonde. Son idéal, recueilli par la raison des meilleurs, ordonné par les précautions d'un génie collectif, est future vérité.

***

Le lac de Genève rapprochait et favorisait toutes les convictions ; il semble que l'Histoire se soit reposée, comme le voyageur aux cheveux épars, au col de chemise entrouvert des gravures romantiques, sur ces coteaux vallonnés, traversés de sources chantantes, à l'ombre des châtaigniers dont les branches robustes, penchées sur l'espace, paraissent soulever et retenir parmi leurs feuillages des portions d'onde azurée.

« Nous allons à Prangins, chez le prince Napoléon », dit un jour mon père, en donnant des ordres pour que nous fussions vêtues élégamment, pour que nos costumes marins et le béret dont je tirai un parti favorable à la coquetterie, grâce à une chevelure volante bien disposée sur les épaules, fussent ceux du dimanche. Nous allions donc voir le prince Jérôme Napoléon, Napoléon tout court, devrais-je dire, car c'est le prénom aux échos sublimes, c'est cette apothéose colorant l'étendue, ce fracas de gloire qui changea les lois, les contrées, le cœur des hommes, bossela l'univers et vint se heurter aux parois de l'espace, qui me faisait chanceler de plaisir, et de plaisir effrayé, à la pensée du voyage de Prangins.

Le nom de Napoléon m'émerveillait, me satisfaisait comme il satisfaisait Napoléon lui-même. Celui qui constatait en toute chose le réel a su dire de soi, dans ses entretiens si humains, si directs de Sainte-Hélène, que la nature lui avait dispensé, sans aucun manque, ce qui devait séduire et enivrer les peuples, et, ajoutait-il, *jusqu'à mon nom, avec ce qu'il a de poétique et de redondant...*

Un jour d'été, ayant navigué pendant deux heures environ, nous arrivâmes, un peu avant le coucher du soleil, à cet endroit resserré du lac que la rade de Genève limite, ayant à son côté les verdures de Prangins. Nous vîmes de loin venir par une allée sableuse, et s'arrêter pour nous recevoir sur le débarcadère, un homme vigoureux, aux épaules larges et hautes, dont le visage puissant, d'une teinte jaunâtre, ressemblait, affirmait-on, à celui de l'empereur. Je voyais un homme qui ressemblait à Napoléon Ier ! L'équipage villageois et champêtre de notre bateau, nos bonnes anglaises et allemandes, avaient été autorisées à monter sur le pont, à regarder secrètement, furtivement, l'exilé qui ressemblait à l'empereur.

— Napoléon Bonaparte, jeune homme maigre et emporté des livres d'étrennes de mon enfance, vous dont le pur profil au menton volontaire, la bouche parfaite, convoitée par les Renommées sillonnant les nuées, l'œil d'aigle, clair à l'ombre d'une chevelure lisse et longue, m'enseignaient l'audace, l'opiniâtreté, le sommet des destinées, que j'ai aimé votre triomphal mystère !

Je vous voyais dans le sévère costume de Robespierre, mais étreint à la taille par une ceinture largement déployée qui marquait votre suprématie, et toujours dans le danger, dans un danger qui semblait n'affronter que vous seul, en avant de tous les autres ; vous si beau sur le pont d'Arcole, si hardi et compatissant parmi les pestiférés de Jaffa, si docte aussi au milieu des savants ! Jamais je ne mêlai votre image au fléau de la guerre, à l'atrocité des combats, des incendies, des mutilations. Pendant des années et des années, une clameur d'amour était montée vers vous, lancée par des millions d'hommes affamés de vous apercevoir, de vous toucher, d'obtenir l'assurance que, de loin même et au moment de périr, ils seraient placés dans la direction de votre regard.

Quand, sur la demande de vos régiments, après les batailles, vous passiez dans l'or invisible des victoires devant le carnage humain, comme un jeune Booz consciencieux parmi ses récoltes, étaient-ce des mourants au souffle épuisé, étaient-ce des demi-morts sanglants qui vous acclamaient encore, qui n'étaient pas rassasiés de votre personne ? Il est impossible d'en douter. Longtemps après que vous eûtes rendu le dernier soupir, de vieux invalides, oublieux de leur chair offensée, suivaient votre image dans la nue et vous confondaient avec le fils de Dieu. Nul ne saura quel baume émanait de vous, anesthésiant les blessures, excitant l'esprit, jetant sur le trépas un nuage apaisant.

Votre nom mince, aigu et allongé de Bonaparte traversait comme un stylet votre gloire impériale, apportait un correctif à l'énorme éblouissement de votre dictature souveraine, maintenait en vous, comme était établi en vous votre délicat squelette, le sous-lieutenant de Brienne, le jeune général de Toulon, le pauvre soldat de la Révolution aux mains noircies de fumée, que jamais vous n'avez renié, que vous évoquiez même brutalement, sous la dure épithète de jacobin, parmi vos maréchaux, ducs et princes portant des noms de cités et de fleuves – et qui mourut sur le plus étroit et le plus misérable lit du monde ! J'ai aimé, j'aime et j'adore en vous, héros sans égal, que Goethe, dans sa lucide passion, appelait *abrégé de l'univers*, ce mythe du soleil se levant à l'orient, se couchant à l'occident, qui vous situa dans la légende et l'invraisemblable, de votre vivant même. En vous, j'aime la seule poésie désirée, la poésie vivante, qui inspirait vos actes et votre langage naturel. J'aime ce soir de mélancolie, de maladie, dans l'île d'Elbe, où, sous un ciel d'émail torride, vous souvenant du jour brumeux d'une de vos insignes victoires, vous avez soupiré : « *Je guérirais bien si je revoyais ce nuage !* » Je contemple en vous le veilleur visionnaire qui, sous la tente de toile, le compas et le crayon à la main, mesurait avec un sens infaillible les détails de la carte du monde, tandis qu'étendues dans la campagne nocturne sommeillaient à l'infini vos armées amoureuses. Seul avec l'espace, vous lui dérobiez ses secrets, ses effluves, ses ondes, et, mystique résolu, vous avez prononcé cette phrase éblouissante : « *La nuit, je fais mes plans de bataille avec l'esprit de mes soldats endormis…* »

J'aime en vous le moraliste précis et serein, qui confie à ses compagnons de désastre son émouvante erreur, lorsque, prenant connaissance de toutes les trahisons, de toutes les lâchetés, vous dites : « *Je n'ai pas cru à la vertu des hommes, mais j'avais cru à leur honneur !* »

J'aime en vous, passionnément, le dieu solitaire qui, par-dessus la frénésie des hommages ou l'accablante adversité, heurte son front à l'espace sans issue, mais ne cesse jamais d'agir, d'aimer, et qui, lorsque les après-dîners de Longwood se font trop pesants, s'efforce de ranimer tous les courages par la lecture d'une page de Racine. Car c'est vous qui, le premier, avez puisé dans votre rêve et murmuré ces mots, plus tard célèbres sous le nom de Baudelaire :

Andromaque, je pense à vous !

J'aime en votre personne celui qui, sachant que sa divine figure ne lui appartient pas, surmonte son dégoût et sa lassitude de vivre, et, comprenant qu'il n'a pas droit à toutes les morts, n'hésite pas, en traversant la fiévreuse Provence où le menacent l'injure et la pendaison, à se déguiser, à paraître s'avilir, en dépit du cœur le plus altier qui jamais fut, parce qu'en votre chair était inscrit ce précepte sacré : « *Je suis un homme que l'on tue, mais que l'on n'outrage pas.* » Je révère en vous ce stoïque détachement des pires peines personnelles, qui vous faisait répéter, dans la misère pitoyable de Sainte-Hélène : « *Mes malheurs ne sont point ici !* » En vous, je recueille indéfiniment le puissant soupir qui s'exhale de l'enfance démunie autant que du héros, et qui relie entre eux le faible, l'infirme, l'omnipotent. « Ah ! – confessiez-vous à Las-Cases, en méditant sur la fragile dignité de l'homme –, qu'importent la constance et la vigueur de la pensée ? Certes, rien ne l'enchaîne, elle nous rend libres, et, ici même, sur ce roc de feu, épié en tous mes mouvements, prisonnier que l'on tente d'humilier, j'échappe à mes persécuteurs, je ne leur appartiens pas, je m'évade par l'esprit, je suis où je veux ; mais voyez Novarraz, notre fidèle Espagnol Novarraz, avec ses fortes épaules, ses bras d'athlète, que ne pourrait-il pas,

26

par sa seule structure, contre une créature moins vigoureuse que lui ? » Et vous concluiez par ces paroles d'un accent sublime : « *La nature, qui fait tout pour l'âme, ne fait rien pour le corps !* »

Enfin, j'aime en vous, avec une délectation qui permet de dédaigner toutes les amours, l'homme pareil à tous les hommes que vous fûtes aussi, dans l'appétit et la rage voluptueuse. Un homme pareil à tous les hommes, avec les supplications, les transes, la pâleur, l'indicible évasion frémissante, et dont une de vos maîtresses a pu dire, évoquant votre délire et vos pâmoisons confondus : « Il a bu mes larmes ! »

Ce qui est à l'origine de Bonaparte, c'est la réussite unique et consciente, c'est l'ambition à travers les siècles, non vaniteuse, non paresseuse, non dédaigneuse, mais attachée à un épuisant labeur, dirigée vers la connaissance de toutes choses, accordée avec cette phrase pathétique qui ennoblit par la témérité le sort misérable de l'individu sous un ciel sans Providence : « César pleura lorsqu'il vit la statue d'Alexandre… » La créature qui s'est donné pour tâche de tout modifier et reconstruire a d'abord remis au destin, comme suprême enjeu, un don sans réserve, le seul qui constitue l'homme : sa vie. Bonaparte, dès qu'il fut, ne cessa pas de consentir à mourir. Alors que le miracle humain est si rare, honorons le dieu solide et calme qui repose sous le dôme des Invalides dont il ordonna lui-même la rêveuse dorure, par fidélité à tout ce qui fut sa jeunesse, parce qu'il aimait à évoquer les minarets poétiques du Caire avec la même sensibilité qu'il mit à glorifier indéfiniment le soldat Muiron, tué pour lui dans la journée d'Arcole, le couvrant de son corps. « Je prendrai le nom de Muiron », disait-il souvent, lorsqu'il jugeait son rôle immense terminé et sa présence en France nuisible à la patrie. « Sous le nom de Muiron, répétait-il, je recommencerai une nouvelle vie… »

Ce sont là des anecdotes du cœur, les plus émouvantes, il est vrai, si l'on songe que sans cesse le héros fut en droit d'exprimer ce qu'il ne voulut consigner qu'une fois : « *J'ai porté le monde sur mes épaules, cela ne va pas sans quelque fatigue…* »

Citons, à présent, ce que furent les projets du bâtisseur, les prophéties du puissant devin. Qui n'a pas reproché à Napoléon l'hallucinante et désastreuse campagne de Russie ? On attribua ce terrible élancement vers le Nord à l'ennui, à la fatigue d'un esprit que le repos et les sages pensées ne pouvaient satisfaire, enfin à quelque irritante maladie de l'épiderme qui jette l'individu hors de soi. Pourtant, Napoléon, harcelé par les exigences de ses frères devenus rois et qui renouvelaient sans cesse leur souhait de goûter un divertissant repos dans les jardins de l'Île-de-France, tout en conservant leur faste autoritaire, répondait avec reproche : « Moi seul d'entre nous tous je peux vivre dans la simplicité familiale ; j'aime à causer avec ma femme ; je sais parler aux enfants ; j'interroge les savants ; je fais volontiers la lecture, le soir, à mon entourage... » Certes, la tragique défaite de sang et de neige en Russie – comme auparavant les combats désordonnés et confus d'Espagne – reste une des plaies obsédantes de l'Histoire ; mais, dès que l'homme responsable lui-même s'explique, quelle persuasive et raisonnable beauté ! « La paix dans Moscou, disait-il à Sainte-Hélène, accomplissait et terminait mes expéditions de guerre ; c'était la fin des hasards et le commencement de la sécurité. La cause du siècle était gagnée ; la révolution accomplie, il ne s'agissait plus que de la raccommoder avec ce qu'elle n'avait pas détruit ; cet ouvrage m'appartenait, je l'eusse fait triompher aux dépens de ma popularité même. Ma gloire eût été dans mon équité. »

Paroles où apparaît, chez ce pétrisseur du globe, l'inclination qu'il eut toujours pour la pureté, la conciliation, la magnanimité. Jamais on ne put l'obliger à la rancune, lasser sa volontaire indulgence, son plaisir du pardon. La vue du sang, ce sang qui avait déjà tant coulé pendant la Révolution et dont souffrirent aussi Danton et Robespierre, lui était en horreur ; il resta toujours hanté de la neige maculée d'Eylau. Le dominateur surnaturel qui, avec le consentement inconcevable des hommes, obtint que fussent franchies les bornes de l'exigible, douta souvent de sa mission ; devant le tombeau de Rousseau, qu'il avait tant aimé, il sentit faiblir son cœur et murmura : « Peut-être eût-il mieux valu pour l'humanité que ni lui ni moi ne fussions nés. » Mais ses doutes, ses hésitations redescendaient de lui rapidement, comme l'aube humide et grise d'été se dissipe pour laisser resplendir le net éclat du jour.

Considérant et développant ce qu'il eût proposé pour la prospérité, les intérêts, la jouissance et le bien-être de l'association européenne, il terminait par ces mots, qui, aujourd'hui, sans que jamais son nom y puisse être mêlé, s'élèvent du sein de tous les groupes humains comme la voix des *Suppliantes* : « L'Europe n'eût bientôt fait véritablement qu'un même peuple et chacun en voyageant partout se fût trouvé toujours dans la patrie commune ; les grandes armées permanentes eussent été réduites désormais à la seule garde de la paix des nations... »

Ainsi eût vécu, toujours actif, mais administrateur paisible et désintéressé du monde, celui qui, au fond de l'âme, ne voulut jamais rien pour soi. Un matin, à la Malmaison, il fit retirer de sa chambre un tableau fascinant que Joséphine y avait suspendu en secret dans la nuit. « Je ne puis le voir, disait-il, il me gêne, me trouble, me donne la sensation insupportable que je vole mes musées. » Napoléon reconnut souvent qu'il n'avait eu en propre que son nom. Conviction et humilité des plus grands en face des buts indiscernables de l'univers ! Ce nom lui fut refusé sur le cercueil de Sainte-Hélène, où l'Angleterre ne consentit pas à le voir inscrit.

Grandeur, gloire, ô néant ! calme de la nature !

La rencontre à Prangins d'une enfant attentive avec le prince exilé qui portait en lui, mêlée au sang de Catherine de Wurtemberg, une part de la substance de Napoléon n'avait apporté que déceptions. Je sentais que l'ineffable génie de l'homme qui stupéfie l'Histoire s'était arrêté avec lui, le 5 mai 1821, à l'heure du crépuscule marquée sur le cadran du monde, où le canon anglais salua, dans un ébranlement recueilli par les rochers, le ciel, les eaux, et transmit aux siècles futurs la descente du soleil dans la mer et la libération d'un souffle fabuleux.

Mais la maussade et vigoureuse figure de Jérôme Napoléon, prétendant calculateur et morose, qui ne pouvait rappeler ni l'homme du tonnerre ni le captif flamboyant et débonnaire de Portoferraio qui causait dans l'île avec les pêcheurs de thons et partageait avec eux leur repas du soir, me servit de guide pour remonter vers celui que je ne me lasserai pas de considérer comme le joyau exaltant de l'Histoire. Quand la nature réussit-elle une créature qui, en toutes ses apparences, en toutes ses fonctions, l'emplit et la dépasse ? Quand nous convie-t-elle à contempler, de la naissance d'un homme à sa mort, le prodige permanent et qui défie la prévision, tant par la somptuosité sans seconde que par la mesure et la sobriété ? Sur qui accumule-t-elle le positif et le mystérieux de façon si étrange que l'imagination erre, ébahie, de l'astre du héros, vu en un songe divinatoire par Frédéric le Grand, en 1769, à cette minuscule étoile, astérisque tracé par Bonaparte à dix-huit ans, au bas de son dernier cahier d'étude ? Impénétrable secret de l'avenir, ce studieux forcené, achevant de noter et de commenter la somme de ses immenses lectures, écrivit, une nuit, sur l'espace restreint de la feuille terminale : *Sainte-Hélène, petite île de l'océan Atlantique. (Possession anglaise.)*

Jusqu'au physique qui, chez lui, conquérait et puis comblait de ravissement sa proie.

Dans les heures révolutionnaires de Toulon, sans gloire encore pour lui, une femme élégante de l'ancienne cour fuyait, éperdue, guidée par ses sauveteurs à travers les rues où volait la mitraille ; elle aperçut soudain, donnant des ordres à un groupe d'adolescents guerriers, le jeune Bonaparte. Elle se retourna, s'arrêta, oubliant toute terreur. Immobile, elle posa la main sur son cœur, ayant vu, disait-elle, dans le bref espace d'un éclair, les dents les plus éblouissantes du monde. Denture parfaite, dont Napoléon se montrait fier, qui le trahissait aussi et l'obligeait, au cours des fêtes déguisées dont il avait le goût, à voiler le bas de son visage, dans la crainte que ne fût reconnue aussitôt la lueur de nacre et d'ivoire. Regard indéfinissable de Napoléon, jamais décrit, et mains si belles que ses ennemis eux-mêmes les dépeignaient avec complaisance et les considéraient comme magnétiques. À l'agonie, sur le lit de fer de Sainte-Hélène, Napoléon exprima le désir qu'après sa mort ses mains fussent laissées libres, étendues naturellement de chaque côté de son corps et non pas croisées sur sa poitrine. Il ne pouvait concevoir – ce fils de l'Hellade, né en Corse, où souvent la pureté des traits attiques, comme l'idiome, est conservée intacte, et puis si puissamment et uniquement français que l'on retrouve dans son génie Montaigne, La Rochefoucauld, les philosophes de *L'Encyclopédie* –, il ne pouvait admettre cette attitude contrite du cadavre dont les doigts sont joints en signe d'humilité et de vaine imploration.

Bien qu'en lui l'organisateur infini, le poète incommensurable et, sans doute, l'enfant respectueux de Laetitia Bonaparte soutînt les rites de la religion catholique et les exigeât autour de sa mort, combien de fois n'a-t-il pas évoqué l'accident énigmatique de la création et le néant de l'individu ? Comment n'être pas ému par la pensive tristesse qui le saisissait à l'issue des chasses à courre, lorsque, dans la forêt en fête, on lui présentait le corps entrouvert et sanglant du chevreuil ! « Ah ! demandait-il avec mélancolie à ceux qui l'entouraient, quelle différence vous est-il possible de distinguer entre l'animal sans souffle et les humains que la vie a quittés ? » Et il affirmait : « De la plante à l'homme, il y a une chaîne ininterrompue. »

Parmi les réflexions que nous inspire ce dieu mortel, si comblé de gloire que, lassé parfois, il put dire : « Je m'en suis gorgé, j'en ai fait litière », comme il disait aussi de la France, cet époux obstiné : « J'ai couché avec elle », n'omettons pas la juste et l'humble riposte d'une femme orgueilleuse qu'on plaignait plaisamment de n'avoir pas vécu au temps du séducteur illimité, alors qu'elle eût pu tenter de subjuguer celui qui subjuguait l'univers. « Non, affirmait-elle avec feu et gravité, repoussant de toutes les forces de son imagination la vague vision de la sublime idylle, non je n'eusse pas voulu être une de ses amantes, mais un de ses grognards ; ceux-là, du moins, mouraient pour lui… »

CHAPITRE III

Le miracle de Bonaparte. – Dans le parc de la Malmaison. – Sous les charmilles de Voltaire. – L'enchantement de Rousseau. – Barrès aux Charmettes. – Découverte amoureuse de Musset. – Lectures sur le lac. – Le génie de Corneille et de Victor Hugo.

Qu'est-ce qui attache et surprend davantage dans le miracle de Bonaparte ? Est-ce le fait qu'il fut le plus nombreux des humains ou le plus solitaire d'entre eux ? Quelle solitude chez celui qui, le jour du sacre, tenant à sa merci le pape dans Notre-Dame ébranlée de musique, incendiée de lumière, estima sa valeur sans seconde et jugea ne pouvoir disposer que de ses propres mains pour saisir la couronne impériale et l'assujettir sur sa tête ! Quelle foule dans le cœur du vaincu de Fontainebleau, qui, ayant absorbé le poison dont mourut Condorcet, et si décidé à périr qu'on le voyait ravaler ses vomissements, recense cependant avec tranquillité ses chances réelles, et, couché dans la pénombre de la chambre écarlate, dit avec discernement, d'une voix affaiblie mais nette : « Tel régiment, tel corps d'armée est prêt à donner son sang pour moi... »

Quelle solitude encore dans le chemineau auguste et silencieux des routes de Grasse, de Grenoble, de Lyon, qui marche lourdement, se hâte, boite, tombe, se relève, voit peu à peu les paysans et le petit peuple grossir de sa masse importante son mince cortège du début et s'entend héler avec une familière ferveur par cette foule bigarrée, mêlant l'appellation de Sire au tutoiement de la suprême tendresse !

Soir de Grenoble, où une part de tous les mâles du monde, sauf de Russie et d'Angleterre, le fusil sur l'épaule, montés sur des chevaux robustes, eurent devant eux un homme petit et fatigué, qui s'était avancé seul, sans arme et sans escorte, pour interroger tristement ses anciens soldats, écarter le revers de son manteau terni et leur désigner la place de son cœur ! Une seule balle traversant l'espace, comme on voit en été un papillon unique étinceler entre des champs de luzerne et l'azur infini, eût suffi à coucher sur le sol ce corps lassé, éternel, et eût terminé son destin. La muraille humaine, que Napoléon avait interpellée brièvement, préféra se jeter aux genoux du proscrit. Tremblants d'amour et d'une sorte d'incrédule et maternelle ivresse, les hommes s'accrochaient à lui, le palpaient, s'assuraient de sa présence, couvraient de baisers sa personne. On assista au culte rendu jadis à Cybèle, aux fêtes dionysiaques du printemps. Mais quelle solitude encore dans le voyageur harassé, assourdi par les acclamations, qui rentre ensuite aux Tuileries que vient de quitter, à la lueur des torches, le chancelant Louis XVIII ! Là, le gagnant du sort n'est plus qu'une statue aux membres inertes, aux yeux clos, aux lèvres jointes, que des mains passionnées arrachent de sa voiture, tirent dans le vestibule, hissent sur les escaliers, soulèvent de terre, font naviguer sur un océan d'amour. En ce lieu, Napoléon fut pressé d'une si compacte et périlleuse étreinte qu'on entendit rugir de terreur Labédoyère et Caulaincourt, qui l'encerclèrent de leurs bras pour l'isoler, lui rendre le souffle, et s'arc-boutèrent autour de lui jusqu'à laisser craquer leurs os.

Il est juste que la vie de chaque créature ait un poids égal dans la balance collective, inspire les mêmes égards à la communauté. L'équité, la pitié posent sur cette solide mystique. Je n'oublie pas l'extrême émotion que je ressentis la première fois que je lus la *Déclaration des Droits de l'Homme et du Citoyen*, où cette phrase contente l'âme : « Les hommes naissent et demeurent libres et égaux en droits. » La raison, la bonté le veulent : « Libres et égaux en droits ! » Puis vient la mort. Après la mort, la juste inégalité s'empare du cadavre, lui restitue sa part augmentée, ce total qui ne lèse plus aucun vivant ; l'inégalité sensée et généreuse vénère en ces morts augustes la somme du mérite physique et spirituel par quoi un seul homme vaut un millier d'hommes. Qu'importe – et il le savait –, que Napoléon lui-même ait dit : « Le sentiment de l'égalité est naturel dans l'individu, il en ressent la justesse, il s'y complaît, il lui est plus nécessaire que celui de la liberté. Où voit-on que la nature ait fait naître des créatures marquées les unes d'un bât et les autres chaussées de bottes ? » Raison, sagesse, magnanimité des chefs tristes du monde qui se débarrassent de la flatterie par un haussement d'épaules !

***

Un jour d'été de l'année 1930, j'ai visité une fois de plus le domaine de la Malmaison. J'errais dans cette demeure que l'absence d'un homme vidait de toute atmosphère, de toute vie. Il faut être moins démesuré, moins exorbitant, moins certain et défini, moins imaginaire, improbable et présent dans tout l'univers que Napoléon, pour que le jardin, l'escalier, les chambres qu'un être vivant parcourait familièrement aient le pouvoir d'enchaîner son fantôme. Le cœur oppressé par ce sentiment tout neuf (car on retrouve César parmi les coquelicots et les roses blanches du Forum, Dante dans le palais purpurin de Vérone orné de volets peints en vert, où il décrivit le Paradis, Goethe à Weimar, mais on cherche en vain Napoléon à la Malmaison), je restais immobile et déçue, debout sur un palier de la demeure. Je regardais par les hautes fenêtres ce paysage gracile, découvert, où s'était diverti et reposé le général Bonaparte, où s'était dissous l'empereur des Français. Je me souvins d'anciennes lectures de ma jeunesse, narrations écrites par les contemporains du miracle, précises, colorées, et qui s'apparentent au roman plus qu'à l'histoire dont elles ne sont pourtant que l'exact et minutieux reflet.

Dans les soirs tièdes de l'été, de l'automne, le jeune vainqueur ai-mait à s'exercer au jeu de barres sur ces carrés de sable, avec ses lieutenants insouciants, entouré du rire et de l'audacieux babil-lage de leurs femmes braves et coquettes. Et je songeais : Est-ce vraiment ici que se sont posés les pieds du prodige ? Pieds qui nous sont révélés par le portrait d'Isabey, et si gracieux, si enfan-tins qu'ils semblent des mains délicates gantées de peau d'antilope. On les imagine, ces pieds du destin, sur les Alpes terrifiantes qui semblent se soumettre à eux, les guider, les transporter jusque dans les plaines radieuses. On les voit parmi les asphodèles et les violettes des jardins d'Italie ; on suit leur trace au bord du Nil, où le maigre chef empanaché paraît à l'abri des immenses soleils dans l'ombre géante et fraîche de Kléber. Ils sont, ces pieds inouïs, des-sinés, effacés, immortels, sur tous les chemins du globe. Ils sont sur cette route gelée de la Bérézina, où les grenadiers, glacés eux-mêmes, pleuraient de les voir passer, traînant le fardeau du corps accablé, qui, pour la première fois, s'appuyait sur un bâton. Dans le parc de la Malmaison, mon rêve attentif ne voyait qu'un sol sans mémoire.

Mêlée aux curieux de ce jour d'été, je visitai donc le château et me trouvai dans la salle où sont exposés les vêtements de cette époque subite, cahotée, fabuleuse, où l'aigle et l'abeille emplirent l'espace, vinrent s'abattre sur les tentures et les tapis, se glissèrent aussi dans les cols, les corsages, les manches, les poignets. Cet étalage pom-peux et bien ordonné, qu'était-il ? Une sorte de magasin de satin et de broderies fanées qui essaie en vain de retenir l'ombre du génie par un pan de sa robe pourpre. « Défroques augustes et sensibles au cœur, me disais-je en regardant les brodequins couleur de ré-séda de la reine Hortense, un bonnet en linon du roi de Rome, mais défroques quand même ! » Attristée, jetée hors du précis et de tout centre, je me penchai sur des vitrines habilement disposées devant les fenêtres et qui offraient à la brutale clarté du jour leurs reliques de lingerie affinée et ambrée par les ans. Alors, mon re-gard fut attiré par un large mouchoir de batiste, déplié de manière à laisser voir une tache de couleur orange. Le temps, sur le tissu de lin, avait absorbé l'écarlate, le cramoisi et ne laissait plus que cette faible nuance de rouille ; une étiquette jointe au document expliquait que c'était là le sang de Napoléon, blessé à Ratisbonne. Et, devant cette empreinte qui envahissait mon esprit, le distendait sans mesure, je pensais qu'en effet toute vie est en droit de réclamer ses forces, d'exiger son bien-être, de souhaiter garder son essence ; mais combien sont-ils, parmi les humains, qui ont le pouvoir de retenir indéfiniment notre rêve par ces mots, émanés du silence : « Ceci est mon sang » ?...

***

Alors que Prangins, près de Genève, baignait dans l'éclat prolongé du prestige impérial, à l'autre extrémité du lac, l'intérêt changeait ; on se montrait une villa enfouie dans le feuillage où s'étaient réfugiées les amours de Gambetta ; en d'autres sites, on parlait de Lamartine, de Michelet, d'Edgar Quinet. À Lausanne, on rêvait à Mme de Warens, jeune veuve modeste et savante, dont la robe noire, échancrée sur un cou de tourterelle, émouvait les professeurs des universités helvétiques, avant que la gracieuse pédante, établie près de Chambéry, sur la colline des Charmettes, fût à jamais fleurie du désir et des pervenches de Rousseau. En tous les paysages des verdoyantes et liquides Savoies, Jean-Jacques Rousseau occupait l'imagination ; ainsi le faisait Voltaire à Ferney. Sa statue au centre de la place villageoise paraissait représenter un patriarche champêtre, bénissant sa descendance bucolique et s'unissant encore à elle par l'image souriante, sur une rive secrète et idyllique.

C'est, en effet, parmi un petit peuple d'enfants jouant autour d'une fontaine que, jeune fille, j'attachai mes yeux pour la première fois sur cet aïeul immobile, dont le génie avait remué la pensée du monde. Plus tard, j'allai souvent en pèlerinage à la demeure de Voltaire ; ce Voltaire au visage dilaté, sarcastique et bénin, que les doigts du destin modelèrent dans la finesse, le rire créateur, triomphant et charitable ; ce Voltaire universel qui frappa le siècle de son nom, en fit une monnaie ayant cours à travers les contrées et les âges, enrichissant à jamais tout esprit, permettant qu'aucun ne fût démuni.

Assise dans la claire chambre de Ferney où sont conservés les habits évocateurs, je reconstruisais le corps du philosophe infatigable bien que malingre, égrotant et gémissant ; je le voyais parcourant en chaise de poste de lointains pays qu'il éblouissait par sa science multiple et jubilante. Je me représentais, grâce à l'exhibition des redingotes en taffetas couleur puce, des gilets clairs brodés de fleurs, des chapeaux tricornes et des cannes vénérables, le promeneur qui ensemença de sa raison le monde.

Dans la radieuse demeure lacustre où j'errais sous les charmilles de Voltaire et près de la vigne muscate de son jardin potager, que de fois ai-je songé avec respect : « Voici le lieu de l'univers où fut proféré le moins de bêtises ! »

La dévotion, fût-elle fanatique, qu'inspire son œuvre, puissante en son élégance, infinie en sa sagesse, toujours me plaît, jamais ne me paraît excessive. Les nombreuses éditions, souvent superbes, de ses écrits, que j'ai tenues entre mes mains, montraient presque toutes, à la première page, une illustration, une interjection passionnée.

La bibliothèque du château de Champlâtreux, en Seine-et-Oise, que ma belle-mère, la duchesse de Noailles, tenait de son grand-père, le comte Molé, ministre et ami du roi Louis-Philippe, me ravissait par sa forme ronde, ses parquets et ses rayons couleur de miel brun et blond alternés. Les reliures précieuses, aux nuances diverses, formaient là une sorte de tenture solide dont émanait l'atmosphère grave et ennoblissante de la pensée. Dans une haute fenêtre aux allures robustes et gracieuses du XVIIᵉ siècle, s'encastrait l'abondante verdure de Champlâtreux : arbres épanchant leurs lourdes branches, prairies poétiques où se fussent parfaitement unis ou querellés les bien-disants animaux, dotés de tous les travers humains, des fables de La Fontaine. Le jour, une lumière généreuse et, le soir, l'éclairage d'un lustre délié aux vives lueurs illuminaient les étagères incurvées, tendues, semblait-il, de cuir et de maroquin, qui contenaient en leurs feuillets la somme et le pouvoir des siècles.

Dans cette pièce séduisante, la curiosité de mon extrême jeunesse, souvent languissante et paresseuse, trouvait à se satisfaire. Juchée sur une confortable échelle, je faisais le choix de mes lectures ; bien souvent, je pris un des volumes de l'œuvre de Voltaire, recouvert d'un cuir lisse, jaspé comme la peau du léopard, aux tranches d'un bleu de turquoise fanée. Le recueil initial présentait, gravé sur une première page grenue et brunie par le temps, un buste de Voltaire, agrémenté d'une vignette allégorique que soulignait cette phrase inspirée par le sentiment de l'adoration : « Il arracha au monde le bandeau de l'erreur ! » Pourquoi ces hommages nous surprendraient-ils ? Le même encens monte de notre esprit vers ce savant et poétique Voltaire, qui sut évoquer Newton avec le ravissement et l'épouvante qu'inspire la déesse masquée des mathématiques et des astres, et dont la vive habileté ressuscite Saâdi dans un jardin de roses, enivré par le son des guitares persanes.

Quelques amis de mes parents s'acharnaient à traiter de « diable néfaste » ce lumineux esprit ; mais déjà, sans que je connusse son poème, Hugo me prêtait mystérieusement son cri reconnaissant, qui joint à sa patrie le philosophe universel :

Ô pays de Voltaire !...

Jean-Jacques Rousseau, lui, avait envahi mon imagination d'enfant ignorante et intriguée par la seule magie de son nom mêlé au bonheur champêtre comme à la mélancolie de l'espace méditatif. J'avais respiré, goûté Rousseau sous les châtaigniers du lac de Genève, au bruit des sources courant sous les ronciers, au tintement des cloches des troupeaux et sur les rivages du soir, lorsque stagne autour des fermes, dans le murmure associé du chant des grillons et du clapotis des vagues, une odeur de fumée et de laitage.

Le génie, quand il est vaste et légendaire, s'empare des paysages, prend possession des cités et des campagnes, s'annexe tous les aspects de la nature, à tel point que l'aurore semble s'élancer de la poitrine d'Homère et les clairs de lune émaner du cœur de Byron ou de la tristesse étudiée de Chateaubriand. Je n'ai lu Virgile qu'au milieu du chemin de ma vie ; les *Mémoires d'Outre-Tombe* ne m'ont attirée et absorbée qu'aux heures des longs chagrins adultes, et pourtant Virgile et Chateaubriand, par leur âme errante, par quelques-uns de leurs immortels soupirs, toujours propagés, ont occupé le ciel de mon enfance, ses pâturages et ses jardins fruitiers.

Vers ma vingtième année seulement, l'amer enchantement que prodiguent l'œuvre et la vie de Rousseau s'installa dans mon cœur.

Pour être absolument véridique, je ne donnai pas mon adhésion aux aveux complaisants et consciencieux des vices qu'il croit devoir nous apporter comme une corbeille de cerises ou une naïve couvée d'oiseaux. Les choses de l'amour, toutes attachées au corps et que nous revêtons à juste titre des ors spirituels, lorsque le sublime du désir, du bonheur menacé et de la douleur les rend méritoires, ont en chaque être leur modalité, leur embryon de honte, ignoré ou voilé, mais qui commande, agit, choisit, se gave.

Les saintes, les anges, nous feraient, si la divine et nécessaire pudeur ne posait un doigt sur leurs lèvres, des confidences après quoi, la trouble ivresse apaisée, l'existence quotidienne perdrait de son laborieux et digne agrément et de son honneur. Mais il y a, pour séduire la pensée et l'attacher à Rousseau, sa véracité aux dissimulations obscures, ses angoisses inguérissables, les tableaux parfaits, vernissés et comme tangibles, que forment les récits des *Confessions*, et, enfin, ces *Rêveries d'un Promeneur solitaire* où la simplicité des aveux a l'arôme de l'herbage, du candide bétail, du logis savoisien, du naissant désir.

« Aujourd'hui, jour de Pâques fleuries… », écrit Jean-Jacques en retraçant le pèlerinage qu'il fit, vieux et courbé, sur la route où, adolescent, il se dirigeait, les oreilles bourdonnantes des palpitations de son cœur, vers Mme de Warens.

Neuvième promenade du recueil, Pastorale amoureuse et reconnaissante, brève sonate du verbe dédiée à la maternelle amante qui, parmi les ruses, les soins, les complaisances bien ordonnées, satisfit l'âme fiévreuse du poète, que plus rien ensuite ne contenta. Je revois la chambre au rugueux papier chinois, la vaisselle en étain du XVIIIe siècle, le vert cartel posé sur le clavecin modeste, l'étroite chapelle, l'horizon divisé d'azur et de plantes potagères : décor où Rousseau posséda sa placide maîtresse, bienveillante aussi envers les exigences du perruquier d'Annecy, comme elle l'avait été jadis à l'égard du docte jardinier.

La gratitude du jeune homme, dupé, comblé, éclate généreusement dans cette phrase qu'il faut considérer comme l'andante de ces pages passionnées : « Je puis dire à peu près comme ce préfet du prétoire, qui, disgracié sous Vespasien, s'en alla finir paisiblement ses jours à la campagne : « J'ai passé soixante-dix ans "sur la terre et j'en ai vécu sept." Sans ce court, mais précieux espace, je serais peut-être resté incertain sur moi. Aimé d'une femme pleine de douceur, je sus donner à mon âme, encore simple et neuve, la forme qui lui convenait davantage et qu'elle a gardée toujours… »

Quelques années passèrent. Puis vint l'heure fortunée où je visitai les Charmettes en compagnie d'un cœur que Rousseau avait hanté. Maurice Barrès, Mme Barrès, le petit Philippe, leur enfant, nous ayant rejoints à Annecy, firent route avec nous. Déjà, Maurice Barrès et moi, un matin d'été, dans les proches environs d'Annecy, nous avions recherché (lui plus que moi, l'azur absorbant toutes mes facultés) le site vénéré où Lamartine avait soutenu entre ses bras, dans le vent des tempêtes d'un petit lac coléreux, sa pâle compagne, mourante, ardente, Julie, Elvire – en deux mots : Mme Charles.

Nous avions ri de voir, dans le désordre d'une prairie touffue de sainfoin rose et de trèfles incarnats, un poteau indicateur planté tout de travers, qui portait ces mots lyriques et rapides : *Lieu de l'inspiration, 300 mètres.*

Mais, bien que Barrès eût pour Lamartine une dévotion qu'il essayait de faire prévaloir sur l'admiration effrayée que lui inspirait Hugo, les Charmettes de Mme de Warens et de Rousseau l'attiraient davantage. Au crépuscule, nous parvînmes, entassés tous familialement dans une automobile, à la demeure des Charmettes. Route parfumée du soir, regard sur le paysage illustre, entrée difficile dans la maison silencieuse qu'un gardien défiant habitait avec indifférence ! Il nous témoigna, par une mine taciturne, le déplaisir que lui causaient ces touristes émus et graves. Nous visitâmes scrupuleusement la maison des amours nombreuses et partagées, dont souffrit le héros novice des *Confessions.* Je restai longtemps, seule, dans la chambre de Jean-Jacques, près du lit où ce corps délicat, en proie aux malaises du génie et des nerfs, faisait alterner la demi-mort avec la vie tumultueuse de l'âme. Le verger d'automne, étincelant de lourds dahlias, encombré de groseilliers et de framboisiers diminués de leurs fruits, que les lèvres mêmes de l'été semblaient avoir absorbés, était tapissé de vertes plantes aplaties sur le sol, dont les racines profondes exhalaient un humide soupir. La fraîche saison ne nous livrait aucune pervenche. Je le regrettai. N'importe ! nous évoquâmes la fleur privilégiée et, sans qu'on pût s'en douter, je composai un poème sur Rousseau, tout en causant et en parcourant d'un pas alerte le jardin où je croyais rencontrer l'ombre de Claude Anet, favori, dans les heures nocturnes, de l'hôtesse aux épaules de colombe. En mon esprit se formaient rapidement les images de ces stances que Maurice Barrès s'efforçait, avec une tendre bienveillance, de déchiffrer dans mon regard. Je dédiai ces strophes aux Charmettes ; je les retrace ici :

La route : un tendre miel de menthe
Flottait sur le petit torrent,
Rousseau, quand vous vîntes, errant,
Vers votre humble, immortelle amante.

L'eau coule, le silence est frais,
L'ombre est verte, humide et dormante.
C'est sur cette pente si lente
Que votre fenêtre s'ouvrait !

Tous vos soupirs, tout votre orage,
Qui, dans la plus grande cité,
Mèneront un peuple irrité,
Soulèvent ici le feuillage…

Religieuse pâmoison !
Mon cœur de douceur va se fendre :
Je pousse votre porte, j'entre,
Voici l'air de votre maison !

Je me penche à votre fenêtre,
Le soir descend sur Chambéry ;
C'est là que vous avez souri
À votre maîtresse champêtre.

Vos pieds couraient sur le carreau
Et vous traversiez la chapelle
Quand votre mère sensuelle
S'éveillait entre ses rideaux.

Des cloches tintent, le jour baisse,

Voyez, je rêve, je me tais…
C'est sur ce lit que tu jetais
Ton cœur qui crevait de tristesse !

Voyez avec quel front pâli,
Dans cette émouvante soirée,
Je suis – l'âme grave et serrée –,
Venue auprès de votre lit.

Recueillie et silencieuse,
Les deux mains sur votre oreiller,
Les bras ouverts et repliés
Je fus votre sœur amoureuse.

Je presse votre ombre sur moi,
Que m'importent ces cent années !
Vous viviez ici vos journées
À la même heure de ce mois.

Il est six heures et demie,
Claude Anet arrose au jardin ;
Vos deux mains, si chaudes soudain,
Sont sur le cou de votre amie.

C'est ici, près de ce muscat,
Dans la douce monotonie,
Que vous grelottiez de génie,
Ô héros lâche et délicat !

L'odeur claire et fraîche en automne
Des dahlias et du raisin,
Glissait, dans l'aube, sur le sein
De celle qui vous fut si bonne.

Dans la chambre un papier chinois
Sur les murs vieillis se décolle.
Ah ! comme votre hôtesse est folle !
Vous pleurez d'amour tous les trois…

La force des soleils sur Parme,
Les beaux golfes de l'univers
Ne valent pas un jardin vert
Où coulaient de fameuses larmes.

Ô Rousseau qui fûtes laquais
Et fûtes chassé par vos maîtres,
Vous dont le chant divin pénètre
Les bois, les sources, les forêts,

Voyez, ce soir le ciel bleu penche
Sur les Charmettes son front pur ;
Je prends dans mes mains tout l'azur,
Je te donne cette pervenche !…

Maussade, mais coutumier, le gardien silencieux nous présenta, vers la fin de notre pèlerinage, le cahier des visiteurs où s'alignaient des noms sans prestige, des réflexions simples ou saugrenues. J'eus le plaisir d'y pouvoir inscrire, tandis que Maurice Barrès, pensif, attendant le moment de prendre à son tour la plume, rêvait à la poésie, cette phrase d'un de ses livres de jeunesse qui m'avait frappée par la véhémente interjection : « Mon cher Rousseau, ô mon Jean-Jacques ! vous l'homme du monde que j'ai le plus aimé !… »

***

On le voit, le lac Léman m'apportait tout, depuis ce nom d'Amphion, donné par un lointain hasard du terroir à notre rive et à notre demeure. Mon père, au moment de son mariage, avait acquis le chalet élégant, entouré d'orangers en caisse au parfum ineffable, et le jardin bien dessiné, empiétant sur le lac, que possédait le comte

Walewski. Trésor négligeable de l'Histoire, le comte Walewski était le fils des amours de Napoléon avec la Polonaise élégiaque et fidèle qui ne craignit pas de venir s'abattre dans l'île d'Elbe, portée par un voilier périlleux, afin de tendre au captif le front obscurément insigne de l'enfant qu'elle avait eu de lui. Napoléon contempla et embrassa la tête riante avec cette ferveur de père qui, plus tard, par le roi de Rome, fut sa blessure charnelle et pathétique.

Le nom d'Amphion émerveillait Maurice Barrès. Toujours enivré de poésie, il prenait plaisir à répéter pour lui-même ce vers frémissant de Hugo :

Homme, Thèbe éternelle en proie aux Amphions !

Que de souverains encore, que d'images fusant en tout sens ! Ouchy, Lausanne, Clarens s'honoraient à jamais de la visite de Byron et de Shelley ; Vevey, sinueux et ombragé comme le début des secrètes tendresses, avait offert à Alfred de Musset, pour l'énumération nostalgique des paysages de sa *Nuit de décembre*, cette image simple, mais fraîche comme une peinture de maître, exécutée rapidement, les pieds dans la rosée, à l'heure matinale :

À Vevey, sous les verts pommiers…

Chillon et la prison de Bonivard apprenaient à ma pitié toujours à découvert que les cachots existent et que l'ingéniosité des hommes s'exerce et triomphe dans la cruauté.

J'ignorais que Musset eût séjourné sur les bords du lac, quand, petite fille et si éprise de lui, je lisais, à bord du charmant bateau à vapeur de mon père, la *Romania*, ses *Poèmes d'Espagne et d'Italie* et, peu à peu, son œuvre entière. Les voyages sur le lac Léman, dont j'avais pourtant la passion, me causaient souvent un extrême malaise, surtout quand s'élevaient ces brusques tempêtes dont s'enorgueillissaient les habitants des rives et dont s'amusaient les voyageurs, habitués des puissantes eaux salines.

À l'heure du tangage et du roulis, je réfugiais mes vertiges dans une cabine tendue d'un drap couleur des flots et gracieusement décorée d'aquarelles marines, où je demeurais étendue. On avait pitié de mon pâle visage, on ne me délogeait pas. C'est là que, respirant l'humide odeur de la tenture feutrée et du bois verni, regardant par le hublot se soulever près de mon épaule l'épaule bleue des vagues, je connus la séduction de la poésie.

Ô Pépita, charmante fille !...

lisais-je, et mon imagination, pleine d'innocents pressentiments, se promettait à toute l'Espagne.

À Saint-Blaise, à la Zuecca !

lisais-je encore, et plus tard les vins de toutes les *trattorie* d'Italie, en leurs flacons inclinés, revêtus d'une robe de paille, eurent pour moi un goût d'Alfred de Musset.

Si vous croyez que je vais dire
Qui j'ose aimer...

accueillais-je dans mon cœur avec le trouble des adolescentes pour qui le poète de l'obsession amoureuse sera éternellement le premier et pur amant. Une sorte d'amour à la Musset pénétra ainsi en moi et se mélangea à toutes les formes d'amour que l'hérédité, l'énigme individuelle et les circonstances imposent à chaque créature. D'ailleurs, Alfred de Musset était-il bien le chantre nuageux, victime de la robuste George Sand, dont parlaient rêveusement, devant moi, de vieilles dames aux yeux clairs, Ninons et Ninettes déçues par leurs époux voués à la philosophie, aux sciences, aux études absorbantes, et que nul n'avait satisfaites en leur noble ou frivole langueur ? Dames aux cheveux ternis, coquettement traités, ayant adopté de bonne heure la robe de dentelle noire, les pékins violets, parfois le gris – qui leur semblait osé –, mais dont l'âme se souvenait d'avoir goûté, au temps des fiançailles, ces vers romanesques :

Jamais vent de minuit, dans l'éternel silence,

N'emporta si gaîment, du pied d'un balcon d'or,
Les soupirs de l'amour à la beauté qui dort...

N'étais-je pas, à quinze ans, plus perspicace qu'elles, lorsque je devinais et aimais les transes du poëte charnel, ses apostrophes hardies, habillées de la jupe de gaze des danseuses et voilées d'une musique de concert, qui engourdissaient une partie de ma conscience d'enfant si honnête ? N'est-ce pas dans la ténèbre diabolique du sensuel amour que plongent tels vers qui retenaient longuement mon attention, et où le nom de Suzon pose avec adresse sa note légère ? Le nom de Suzon toujours réussissait à Musset. Qui pourrait n'aimer point ce cri de départ qui se déroule comme le léger tourbillon d'une brise alerte, emportant un parfum :

Adieu, Suzon, ma rose blonde ?

Voici le poème lu par moi, sur la *Romania*, avec une ingénue et curieuse prédilection, et qui, bien que situé dans le domaine déconcertant de la fantaisie, dirige vers l'instinct sa voluptueuse et cruelle morsure :

Évoque ton courage et le sang de tes veines,
Ton amour et le dieu des volontés humaines !
Pénètre dans la chambre où Suzon dormira ;
Ne la réveille pas ; parle-lui, charme-la ;
Donne-lui, si tu veux, de l'opium la veille.
Ta main à ses seins nus, ta bouche à son oreille ;
Autour de tes deux bras, roule ses longs cheveux.
Glisse-toi sur son cœur, et dis-lui que tu veux
(Entends-tu ? que tu veux !) sur ta tête et sous peine
De mort, qu'elle te sente, et qu'elle s'en souvienne ;
Blesse-la quelque part, mêle à son sang ton sang ;
Que la marque lui reste et fais-toi la pareille ;
N'importe à quelle place, à la joue, à l'oreille,
Pourvu qu'elle frémisse en la reconnaissant.

Le lendemain, sois dur, le plus profond silence,
L'œil ferme, laisse-la raisonner sans effroi,
Et, dès la nuit venue, arrive et recommence.
Huit jours de cette épreuve, et la proie est à toi…

La passion, telle qu'elle se révèle chez Racine, devait bientôt recouvrir autoritairement le sentiment amoureux que m'inspirait
Musset. Racine, qu'on s'obstinait à appeler le doux, le tendre Racine
– et ces adjectifs, dont usaient mes professeurs confinés dans la tradition et le vocabulaire de l'époque, me causaient une silencieuse
irritation –, atteignait en moi la justesse d'âme de la fille des Grecs,
initiait l'enfant de Sophocle et d'Euripide. Ce qu'il y a de furieux,
d'inévitable, de sanglant dans le drame racinien, s'accordait avec
ma violence encore assoupie, et la liquidité de lave torride des vers
de Racine m'enivrait comme du brûlant Mozart :

Grâces au ciel mes mains ne sont point criminelles.
Plût aux dieux que mon cœur fût innocent comme elles !

En ces mêmes promenades sur le lac, je lisais Corneille dans une
édition exiguë, dont les caractères devenaient indéchiffrables au
jour tombant, mais sur quoi je gardais rivés mes yeux fatigués,
auxquels l'opiniâtreté prêtait une énergique acuité. Le poète, le héros, me conquérait par la fierté inflexible, le tragique puissant, le
duel somptueux du dialogue ample ou rapide. Qui est né au pays
de Corneille et a écouté sa voix vit et meurt selon ses commandements. Dans les conflits du cœur, ses leçons stoïques se dressent en
nous, comme l'ange sévère, à l'épée flamboyante, debout devant les
portes de l'Éden, et obtiennent notre soumission. Que j'ai aimé à
répéter pour moi-même tel cri musical de Chimène :

L'assassin de Rodrigue ou celui de mon père !

Il y a, dans la poésie de Corneille, une toge de pourpre que nulle
autre œuvre que la sienne ne saurait revêtir, et je me souviens d'un
« que vous expliquassiez », situé à la rime, qui suscitait la jalousie et

la critique des amoureux de Racine. Il est vrai que plus tard, et dans ces moments où la gaieté ne craint pas de s'attaquer au sublime, je m'étonnai des complets carnages familiaux fréquents dans les drames cornéliens où jamais ne frémit le chant doré des harpes de Racine : Reste-t-il un seul vivant au dernier acte d'*Horace* ? Vu du palier de nos appartements modernes, que de fureur, de sang, de tumulte, d'anéantissements ! « Je préfère Racine à Corneille », ai-je dit un jour, à quinze ans, enivrée par les délicates plaintes de *Bérénice*, à mon institutrice extravagante, et je fus offensée, en mon courage comme en mes sentiments de décence, par cette prodigieuse réponse, proférée avec hostilité et d'un ton de chaste mépris et de dignité militaire : « Cela ne m'étonne pas de vous ! »

Les nations ne sont pas constituées uniquement par leur territoire ; le génie de Corneille vaut des provinces. Je crois n'avoir pas menti dans le moment où j'ai pu murmurer tristement à un ami, chez qui parfois les résolutions étaient plus hésitantes et plus faibles que les miennes : « Vous vantez sans cesse Corneille ; moi, je vis selon lui. » Peu de temps après mon initiation cornélienne, Victor Hugo surmonta, en mon esprit d'enfant, l'amour que je portais à tous les poètes. Son souffle de géant, l'univers parcouru au moyen de la poésie, la puissance aisée du métier, les milliers de vers, chacun aussi vivant dans l'isolement que dans le bloc de marbre qui les retient groupés, m'inspirèrent une dévotion que le temps n'a pas modifiée. Chez Hugo l'honneur est inclus dans la sonorité même des syllabes : il hausse la vie et le courage de qui le lit ; il ne prophétise que le plausible et le véritable : ce que Voltaire savait, Hugo l'a magnifié. Par l'agilité et le nombre étourdissant du verbe, cet homme oiseau bondit du sous-humain au céleste, s'élance du volcan jusque dans les astres. Si, chez la créature, tout sentiment était porté sur un vers de Victor Hugo, la noblesse de l'âme en serait élevée. Habitant des sommets, son génie s'abaisse aussi vers la grâce, comme on voit, sur une miniature persane, le col de l'antilope s'enfoncer dans une touffe de digitales. Certains de ses vers ont un prolongement infini d'évocation ; d'autres suffisent, tant leur début est direct et plaisant, à réveiller une époque, une cité, un homme engloutis dans les ténèbres du temps :

Autrefois, j'ai connu Ferdousi dans Mysore...

Cette facilité sereine du premier vers, ce placement parfait, comme le doit être la pose d'une pierre robuste dans la profondeur des fondations, je l'ai souvent rapprochée de la construction poétique de La Fontaine : fermeté habile, équilibre bref et propagateur :

Le chêne un jour dit au roseau...

On peut ignorer, oublier, renier ce que l'on doit à Victor Hugo, c'est là l'ingratitude naturelle à ceux qui, dans les jours indigents, se sont nourris du pain des dieux. Pour ma part, dès que je le lus, il me subjugua entièrement et je fus son enfant.

CHAPITRE IV

Mme de Staël me fait peur. – M. et Mme Necker dans le bocal funèbre. – George Sand. – Ferveur française. – L'Histoire révisée par M. Dessus. – La Patrie, prison maternelle. – L'enfant dans la cage du monde. – Le paradis d'Amphion. – L'oncle Jean. – Méditation funèbre.

Traversons une fois encore, par le souvenir, le lac Léman, d'une de ses extrémités à l'autre. Je retrouve, non loin de Genève, le bourg agreste d'Hermance, composé d'un petit nombre de maisons crépies à la chaux sous un revêtement de vignes plantureuses. Les quelques habitants du site romanesque se montraient vaniteux de l'unique auberge au beau jardin, où les émaux chatoyants du plumage du coq et des poules, dispersés familièrement dans les allées riveraines, retenaient les touristes au cours des mois d'été. Dans ces parages, le château de Coppet, en retrait sur une cour largement pavée, élevait sa pure façade. Pénétrer à l'intérieur de la demeure, être accueillis par la descendance de la fameuse Corinne : le comte d'Haussonville, auprès de qui se tenait sa femme, célèbre par son altière et romanesque allure, et qu'entouraient de jeunes filles au maintien charmant, tous hôtes érudits et pleins de grâce, autorisaient une visite au cœur même de Mme de Staël. J'étais une enfant qu'on emmenait fréquemment, qui, timide, se taisait, mais en qui tout s'installait avec une exceptionnelle précision. Les yeux baissés, semblait-il, et pourtant grands ouverts, je regardais, je contemplais, j'inspectais. De toutes parts surgissaient les portraits, les bustes et les miniatures de Mme de Staël.

Je l'avoue, elle me désolait ; que dis-je ! elle m'épouvantait. Les enfants, avides de beauté, demeurent consternés devant ce qui domine sans séduire. En ses nombreuses effigies, Mme de Staël, coiffée d'un épais turban musulman surmontant un mâle visage, produisait au-dessus d'un corsage de lin une gorge haute et forte qu'élargissaient des épaules vigoureuses, d'où descendaient des bras charnus et bistrés. Mais les enfants espèrent toujours. Un après-midi, à Coppet, j'eus le bonheur d'entendre dire, devant ces images qui me décevaient, que Mme de Staël possédait des yeux magnifiques ainsi qu'une éloquence sans égale, que Benjamin Constant l'avait aimée, que sa harpe vermeille avait laissé s'envoler sous ses doigts des arpèges célestes, que son amour pour ses parents fut exemplaire, que son œuvre était immortelle. Je me sentis rassurée, consolée, heureuse. Je regardais avec béatitude le buste en marbre de sa fille charmante, aux cheveux roulés en boucles allongées, la duchesse de Broglie. Un portrait d'Ingres, représentant la mère de M. d'Haussonville, était délicieux à voir. La jeune femme, sombre grillon sans beauté, touchait pourtant le cœur par l'attitude pensive, par cette proéminence pudique et convenue de la gorge, des hanches, du ventre, que mettait en valeur une robe bleue, couleur de lobélia pâli au soleil. Éternelles Elvires, que Lamartine avait modelées dans le rêve des hommes par ses vers superbes et innocents !

Enfin, plus tard, je lus les romans de Mme de Staël et sa correspondance. Je reconnus instantanément l'accent d'un génie vigoureux. Je l'aimai dès lors, en dépit des effusions sans choix qui m'avaient lassée et m'avaient éloignée d'elle à la lecture de *Delphine*. J'adoptai avec sympathie sa lyre violemment retenue sur le sein, son cap Misène, son tardif accouplement avec un adolescent soulevé d'amour, qui fit don à son épouse vaillante et usée d'un fils dont les jeunes ans et la mort, à vingt ans, s'inscrivent dans les archives d'Hermance.

La présence mystérieuse, située à Coppet, en un lieu que l'on ne nous révélait pas, des parents de Mme de Staël, M. et Mme Necker, flottant dans un immense bocal d'alcool qui les préservait de la corruption, m'emplissait d'une anxiété circulaire. Mon esprit ne savait pas en quel endroit du château ou du parc se perpétrait indéfiniment cette funèbre union.

À chacune de nos visites, les hôtes parfaits de Coppet et leurs convives se plaisaient à admirer et à commenter de nouveau la chambre de Mme Récamier : lit enveloppé d'organdi blanc, tenture peinte de bambous et de lotus roses – chinoiserie à la française accédant au salon où Chateaubriand rencontra, pour la première fois, cette provocante Juliette, sans être fasciné par elle, sans prévoir leur futur et immortel attachement.

Mais ces visions de grâce, de triomphe et d'amour étaient assombries pour moi par la crainte où j'étais que tant d'aimable curiosité historique n'aboutît au formidable récipient de cristal dans lequel baignaient, saturés d'alcool, deux époux à jamais insensibles et livides.

Mme de Staël est installée dans mon esprit auprès de George Sand, dans une gloire qui leur est commune. Toujours juste pour ces deux héroïnes, je m'insurge dès qu'on les attaque ou les veut diminuer ; je reste silencieuse lorsqu'on les vénère avec excès, car je ne parviens pas à me les représenter dans leur naturel ni à comprendre leur cœur. Si je ne connaissais pas le charmant dessin que Musset fit de George Sand, qui incline avec langueur un délicat profil de poisson japonais, ou bien ce bref portrait de Delacroix où nous la voyons coiffée d'un chapeau aux plumes multicolores, sous lequel son visage foncé, mais pur encore, fait penser à quelque combattante de la Fronde, je ne pourrais pas concevoir que la sévère matrone, gravée par Calamata, son amant, fût l'idole du Musset de Julie, de Pépa, de Juana, de Laurette. Mais, touchée par le récit que fait George Sand d'un matin de Nohant, où, souffrante, elle écoutait, l'âme détendue et ravie, monter jusqu'à son lit les trombes voluptueuses du clavier de Liszt ; assurée de sa maternelle générosité ; éblouie par son règne sur le cœur de Chopin dans un monastère délabré des îles Baléares, je ne lui fais grief que de certains de ses romans, à la fois alpestres et philosophiques. Pourquoi s'est-elle complu à dépeindre une invraisemblable sociologie qui s'ébat sur le bord des torrents, à l'ombre des rudes sapins et dans la froide odeur des cyclamens, où dissertent des Socrates et des Platons montagnards, conducteurs de troupeaux, bûcherons ou métayers ?

***

Entre les nombreuses opinions politiques que le lac Léman illustrait, j'avais choisi. Ayant reçu au cœur, un jour d'été, dans le clapotement des vagues du rivage de Prangins, le coup d'amour que donne le nom de Napoléon, mais comprenant que l'homme épais, farouche et mélancolique qui portait à présent ce nom enivrant demeurerait en exil, je ne fondai aucun espoir sur lui, j'abandonnai sa dynastie, je fus gagnée entièrement à la République.

Étrange passion d'une enfant pour le régime qu'elle associe définitivement à ce qu'elle aime avec réflexion et poésie : la terre natale. Qui aime son pays et n'éprouve pas de préférence pour les lois qui le gouvernent, de combatif instinct pour l'idée et l'aspiration qui le modèlent, le transforment et l'amplifient, ne connaît pas cette ferveur raisonnante que ressent l'esprit consciencieux et informé. Celui-là est reconnaissant à l'univers que sa patrie ait mérité cette phrase somptueuse : « Sans la France, le monde serait seul. » Cri filial à quoi répond cette affirmation venue de loin : « La France est le flambeau du monde, sa disparition laisserait les nations dans les ténèbres… » et encore cet éloquent témoignage de Goethe : « Lorsque les Romains avaient quelque chose d'important à formuler, ils le faisaient en grec, pourquoi ne le ferions-nous pas en français ? »

Heureux qui, pieux envers la grandeur et la grâce du passé, se place dans le présent, y travaille pour l'avenir, s'attache laborieusement à bouturer ce qui doit être à ce qui est !

Un jour de mon adolescence, étant plus attentive que de coutume à la cérémonie de la messe, et non pas comme cette compagne ingénue qui me confia avec sincérité : « Je prie pour que la messe finisse », j'entendis le prêtre terminer ses oraisons, lentes à mon gré, par ces mots modulés en longues ondes sonores : *Domine salvam fac Rempublicam !* Mots prononcés avec ferveur, supplique adressée au Dieu qui se tient au-dessus des autels, reçoit l'hommage des charbons aromatiques, la fraîche émanation des linges brodés et dépliés avec dévotion.

Ainsi, dans tous les sanctuaires de France, par la voix de tout officiant, on formait des vœux pour la République ! Je venais d'entendre une prière qui s'accordait avec mon cœur. L'atmosphère solennelle et songeuse des églises conquiert aisément la sensibilité sans emploi d'une jeune fille rêveuse. De nettes pensées m'envahissaient. Je me souvins que le précepteur de mon frère, cette an-née-là précisément, avait fait avec son élève, au cours des vacances de Pâques, un voyage en Bohême, en Autriche, dans le Tyrol. Il me racontait la chamarrure, les exigences ou la complaisance du protocole. Aux grands de ce monde allaient les saluts et l'aide em-pressée que provoquait le texte pompeux de leurs passeports, où leurs titres nobiliaires s'alliaient au nom des souverains autocrates. Le jeune professeur terminait sa description d'une Autriche par-ticulièrement pourvue de fonctionnaires hautains ou serviles par le fier aveu de la désinvolture qu'il éprouvait, lui, homme simple, ayant pour toute opulence son érudition, à sortir de sa poche et à produire le modeste feuillet où ces quelques mots avaient un pou-voir total : « Au nom du peuple français… »

Cette formule simple et digne vint rejoindre en mon esprit l'es-pèce de solennel respect que m'inspiraient, dès mon enfance, les mots : *Liberté, Égalité, Fraternité*, largement incisés sur les murs de pierre du lycée Condorcet, que je côtoyais, à l'âge de cinq ans, pour me rendre au cours de solfège, situé près du passage du Havre. J'eus beaucoup à souffrir pour ces vocables infinis, que les passants ne constataient même plus.

Présente à tous les repas chez mes parents, prenant part silencieu-sement à toutes les conversations, je prêtais une grande attention aux propos d'un vieil homme très instruit, très aimé de nous, du nom de M. Dessus. Cet ami quotidien – dont l'aspect était si éloi-gné de ce que notre époque compose qu'on pourrait penser que la physionomie obéit à une mode passagère, que la nature cesse ou s'interrompt de créer M. Thiers ou Émile Ollivier pour ne s'at-tacher avec constance qu'à la figuration des amiraux –, était un musicien angélique en même temps qu'un politicien de mauvaise foi et un croyant irrité. Aux côtés de ma mère, lorsqu'il jouait du violon – de l'alto, précisait-il –, son étrange visage sans ciselure, comme découpé ingénument par un enfant dans du carton solide, reflétait la buée d'or des sons et paraissait inondé du bleu, sou-dain charmant, de son œil, non plus aigre et pointu, mais couleur de l'aile de la mésange. Homme singulier, loyal et sans probité du cœur ! Nulle âme plus que la sienne n'avait bondi d'une conviction à une autre. C'est lui qui, révolutionnaire et antireligieux violent, écarta du lit de Lamennais mourant et jeta dans l'escalier le prêtre venu au chevet du moribond. Du moins, il l'affirmait, et il narrait cet incident avec un repentir bien en vue, que surmontait la vanité inhérente aux caractères emportés, secrètement satisfaits de tous les actes où leur personnalité a dominé sur autrui.

Ce robuste et sensuel vieillard converti signait du pseudonyme transparent de « Super » des articles d'une piété naïve et cruelle, d'un antisémitisme barbare, dans de petits journaux appelés « conservateurs ». Sa personne, en changeant de passion, était demeurée la même. Je l'entendais s'irriter à tout propos contre la Révolution, sans pour cela qu'il apportât la moindre atténuation au mécontentement que lui inspirait l'Histoire entière, dont il s'était fait le juge. Sa critique s'attaquait à chaque époque ; ainsi, plus tard m'apparut Taine, dans son manque d'amour méthodique et prolongé, qui me précipita sur le cœur de Michelet. M. Dessus, dont les griefs m'attristaient sans me convaincre, reprochait à François Ier sa galanterie, son alacrité, son brillant mais léger courage ; à Henri IV, sa naissance huguenote, ses maîtresses aux beaux noms, son épouse florentine ; à Louis XIV, sa hauteur, ses bâtards, sa politique batailleuse, son asservissement de la noblesse, et enfin Mme de Maintenon, qu'il pensait accabler sous la dénomination de « la veuve Scarron ». À Louis XV, M. Dessus ne pardonnait point sa vie lascive, et le Bien-Aimé toujours me terrifia en dépit du plus tendre surnom. À Louis XVI, si pitoyable pourtant, notre malveillant ami demandait compte de la Révolution ; mais, à la Révolution, il reprochait tout. Les noms de Marceau, de Hoche, par patriotisme il les détachait des événements, les faisait flotter dans un espace immense et doré, puis, passionné pour eux comme il l'était pour la musique, il les immobilisait sur un socle aérien où les veillait une France ailée, ignorante et virginale. Ce n'est pas à lui qu'on eût pu citer, sans éveiller son apoplectique colère, la phrase charitable de Michelet, courant et trébuchant d'amour vers tous les pécheurs : « Robespierre avait bu du fiel tout ce que contient le monde… » Mais M. Dessus s'acharnait spécialement contre ces trois mots qui gagnaient mon cœur lorsque je passais devant le lycée Condorcet : *Liberté, Égalité, Fraternité.*

« Quelle mensongère niaiserie ! s'écriait-il. Quelle coupable et hypocrite affirmation ! »

Pourtant, si petite que je fusse, et possédant le caractère le plus doux et le plus docile, ce que j'avais déjà d'assuré et d'inflexible en moi se refusait à croire M. Dessus, à lui donner raison contre les vocables séduisants. Que l'espérance fût inscrite sur les pierres de la cité ; qu'elle donnât le sentiment de jouer le rôle sacré des commandements sur les Tables de la Loi ; qu'elle incitât les privilégiés à se souvenir de leur chance fortuite et de leurs devoirs ; qu'elle permît aux infortunés de rêver à un vague bonheur équitable, me procurait un contentement et un allégement dont je ne pouvais plus me séparer. C'est ce sentiment puissamment populaire, éprouvé spontanément dès ma petite enfance, qui fit de moi, autant que les paysages de Paris, de l'Île-de-France et de la Savoie, un être si attaché à sa terre natale. Un sort favorable m'avait dévolu la plus noble patrie de toutes, celle qui travaille pour les autres, s'en rapproche par naturel élan, par volontaire et sage amitié, place sa fierté hors de l'envie, tente d'abolir l'ardeur des antiques rivalités, rédige la convocation de l'amour au fraternel banquet.

Quand le monde aura dénoncé à jamais l'ignominie de la guerre ; quand les mères n'auront pas, pendant des années, dans le souci, l'industrie, la ponctualité, soigné et instruit leur enfant mâle, surveillé ses forces et ses dons d'écolier pour le voir partir vers une mort sans pitié ; quand, enfin, sera moins dominante l'amère parole de Rousseau : « L'haleine de l'homme est mortelle à l'homme », il restera que le fils de la femme est pourtant fils de la terre qui l'a vu naître.

Dans une Europe apaisée, communicante, échangeant ses bienfaits, chaque homme, s'il se connaît soi-même, sera, de corps, d'esprit, de son pays et non point de tous les autres. La plante que l'on transporte de son sol initial dans un sol inconnu, il faut la chloroformer, l'arracher à sa conscience végétale pour qu'elle échappe à la syncope et à la mort. Tels animaux captés en leurs contrées, exilés dans la nôtre, languissent, perdent leur robe lustrée, perdent leur chant, cessent de se reproduire. Comment l'homme, si vaste, ferme et passionné que doive être son amour de tout ce qui est humain, s'évaderait-il de cette suave et délicate prison maternelle ? Il est animal, il est plante. À son insu même, et si généreux, si ascétique qu'il puisse être, il est né pour rechercher la satisfaction. Au sein de la famille humaine, il demeurera l'individu qui veut persévérer en soi, qui, pendant son court passage menacé à travers les éléments et les circonstances, tentera de prospérer, d'augmenter la somme de son plaisir et de sa notoriété. Tel qui se croit détaché du sol natal par un goût généreux de l'universel y est retenu par la connaissance et la délectation du langage paternel, par de fines et fortes exigences organiques, par cette sournoise et noble passion de préséance qui régit les réflexes collectifs comme les réflexes individuels. « J'aime la France parce que j'aime les hommes », répétait souvent un savant biologiste, qui voyait en sa patrie la vigoureuse et preste bâtisseuse d'un avenir plus clément à l'humanité.

Un de mes amis, aussi remarquable par son talent littéraire d'une acide pureté toute française que par sa valeur scientifique, et qui, incapable de demander un verre d'eau en aucune langue étrangère, se croit adapté à toutes les nations, était prié, par ses aînés, d'écrire un article de critique ; son impartialité fut parfaite et refléta sa raison acérée. Avec justesse, il indiqua l'infériorité où se trouvait la France en face des autres pays quant à l'organisation des laboratoires et à l'hommage rendu aux savants. Je remarquai que, plusieurs fois parmi ses reproches bien fondés, je trouvai le mot « chez nous ». Ce *chez nous*, même quand on le gourmande, c'est bien l'endroit du monde où l'on vit, où l'on travaille, où l'on souhaite amplifier son destin et mourir : c'est un instinctif baiser appuyé sur la joue maternelle.

L'homme ne me semble pas né pour vivre. Les difficultés de sa naissance, sa chétiveté, la plus totale qui soit, son absence de pensée et d'instinct, ce *rien de réalisable* qui le caractérise font de lui le plus infirme des esclaves. S'il n'était sauvé à tout instant de la mort par une vigilance permanente, il paraîtrait voué à un passage inutile et bref des ténèbres maternelles à l'anéantissement terrestre. Cependant, l'enfant résiste ; les dangers qu'accumulent sur lui des usages respectés ou la distraction de ceux qui le protègent ne suffisent pas, la plupart du temps, à amoindrir cette force stupéfiante que contiennent déjà le cerveau obscur, les membres maladroits. Dans son inconscience absolue, le petit enfant prévoit son œuvre et sa tâche ; toutes les parcelles qui le composent s'attachent à la lumière, à l'air, à la nourriture, au sommeil, à ce quotidien recommencement dans lequel il se développe et s'affermit. Que pressent-elle mystérieusement, cette chair dont le destin est imprévisible, à laquelle rien n'est promis et qui pourtant, animalement, souhaite passionnément d'être et de demeurer ? Je dirai pour l'enfant ce que j'écrivais hier encore, en songeant aux adultes comblés et détruits à la fois par le sort et que n'abandonnent pas le souvenir et le souhait de la volupté :

Pour ce peu de bonheur que l'on espère, on vit !...

Édifier sa personne corporelle et morale sur un orgueil solide et combatif, voilà le labeur de l'enfant, qui tente de s'emparer de tout le possible, afin de pouvoir, plus tard, prétendre à la souveraineté par quoi, en outre, on se saisit et se repaît des amours de son choix. Telle est, je crois, la fonction vigoureuse, habile et prudente de l'instinct dans l'enfant. Toutes les sensualités, celles de l'appétit délicat, des températures plaisantes, des mouvements, des repos ; celles des coloris, des sons, des arômes ; celle du génie même et des privautés qu'il autorise, auraient-elles à s'exercer, à connaître leurs puissances et leurs jubilations si tout l'être n'aspirait pas à cette récompense unique de la nature : le plaisir ? Le plaisir, approchant du parfait, le réalisant, le dépassant même, apportant, avec l'extension fulgurante dévolue un instant à l'individu, ce final désintéressement qui consent à la royale satiété de la mort. L'on peut nier que toute action ait pour but le plaisir, mais cette négation plonge dans l'ignorance où nous sommes des heures qu'il nous faudra combler par des occupations acceptables, pour aboutir aux instants enivrés dont l'approche nous soutenait secrètement dès l'enfance. Que de lassitude, que d'ennui, de bâillements, d'irritation, de colères, de désir de mourir chez l'enfant ! Il ne sait pas pourquoi il a été introduit dans la cage du monde, il erre, rôde, s'affaisse jusqu'à ce que la turbulente nature, à travers les barreaux, lui ait murmuré son véridique, invincible et décevant secret !

Petite fille, j'ai, certes, goûté des moments de paradis à Amphion, dans l'allée des platanes étendant sur le lac une voûte de vertes feuilles ; dans l'allée des rosiers, où chaque arbuste, arrondi et gonflé de roses, laissait choir ses pétales lassés sur une bordure de sombres héliotropes ; je respirais avec prédilection le parfum de vanille qu'exhalent ces fleurs exiguës, grésillant et se réduisant au soleil, comme un charbon violet. Oui, ce fut là le paradis et je l'eusse trouvé plus satisfaisant encore si les framboises, mon fruit préféré, n'eussent pas fractionné l'enchantement qu'elles procuraient au goût par leurs multiples et embarrassants pépins ! Mais si je réfléchis, mon bonheur ne me paraissait complet que par cela même qu'il avait d'inachevé. J'attendais. Enfant installée dans un jardin d'avant Adam et Ève, je savais bien, innocemment, qu'il se révélerait à moi, le couple énigmatique pour qui l'univers semble créé et dont la mission est de perpétuer le sort hasardeux de l'homme dans l'inconnaissance de toute raison discernable et probablement dans l'absence de tout but éternel.

***

Ce sentiment de l'amour, qui constitue l'intérêt de la vie, a pour compagnon et pour ombre couchée à son côté le sentiment de la mort. Un après-midi de juillet, je marchais, toute petite, sur la terrasse de granit, surplombant le lac et enrichie de sphinx en bronze noir, une de mes mains tenue par mon père, l'autre par sa sœur très aînée, ma tante Élise, lorsque j'entendis tous deux me dire, avec précaution, avec ménagement et tendresse, ces mots extraordinaires : « L'oncle Jean est mort. » Ils concevaient donc qu'ils allaient, pour la première fois, offrir à une enfant une pensée terrifiante, car la douceur de leur voix témoignait d'un sentiment de crainte envers moi, et d'excuse.

Bien plus tard, j'admirai qu'on empêchât, sous l'ancien régime, le roi de France d'assister à toute agonie, à toute mort, fût-ce celle du dauphin, son fils. La marque du respect suprême, c'était donc le privilège inhumain, offert au monarque, de n'approcher ni le moribond ni le cadavre. C'est à un sentiment de cet ordre, né au cœur de mon père et de sa sœur, que s'apparentait la phrase, dite à voix basse, insinuée, plutôt que prononcée : « L'oncle Jean est mort. » Tout aussitôt, j'entendis qu'on ajoutait, par piété rêveuse et surtout par égard pour ma surprise bouleversée : « Il est au ciel ! » Je levai les yeux. Un azur sans défaut comblait l'espace et se tenait suspendu sur l'azur faiblement mouvementé du lac. Les floraisons, à l'apogée de leur force et de leur ampleur, teintaient l'atmosphère de nuances éclatantes. On les voyait enveloppées, prolongées par le bouquet dansant et doré des abeilles. Les pelouses accostaient le fin gravier du jardin, où les jardiniers, jeunes Savoyards placides aux regards de doux bétail, armés d'un râteau, remuaient et remettaient en place les fins cailloux argentés. Je regardai le ciel. Non, l'oncle Jean, tel que le représentait un portrait imposant, encadré d'une large dorure et apposé sur l'andrinople d'un des salons d'Amphion, n'était pas au ciel.

L'oncle Jean, au visage busqué et bistré, aux yeux bons et renseignés, corpulent dans sa redingote close, les pieds posés sur un rouge tapis, et qui venait de mourir, chargé d'ans et d'honneurs, en un palais doré de Moldavie, n'était pas au ciel. Il n'était pas volant dans ce net azur que je contemplais ; il n'était pas en déséquilibre dans l'espace de cette journée triomphale de juillet. Ses bottines, que le peintre avait scrupuleusement reproduites, ne foulaient pas l'altier et mol azur. Où l'oncle Jean aurait-il posé dans l'éther, bien au-dessus de ma tête songeuse, ses fermes chaussures ? Hélas ! ce trajet maladroit, cette ascension impossible, quelle accablante dérision !

Depuis ce jour – car l'enfant n'est pas logique –, j'ai, pendant longtemps, donné mon cœur aux croyances religieuses ; j'ai prié avec ferveur, avec délice ; j'ai fait des sacrifices et des vœux ; j'ai répandu l'eau bénite sur les images aimées qui décoraient ma chambre : héros, musiciens, poètes, romanciers – mais je n'ai pas cru que l'oncle Jean fût au ciel. J'ai goûté pieusement le pain safrané de l'église du village de Publier, paroisse d'Amphion, où l'indigence du presbytère, la soutane décolorée du curé, le verre de vin blanc modeste me ravissaient (car toujours le Paradis m'apparut pauvre, net, sans faste) –, mais je n'ai pas cru que l'oncle Jean fût au ciel. La dignité paysanne des prêtres émouvait mon esprit, leur amitié m'était chère, je me pliais à leur loi, mais je ne crus pas à l'assomption d'un vieil homme de ma famille dans l'intact éther du jardin d'Amphion...

Malade à quinze ans, je fus envoyée, avec une institutrice dont je redoutais l'inopportune (et, plus tard, démente) désinvolture, à l'Ermitage des Voirons : altitude que l'on atteignait lentement par le train qui longeait le lac, s'arrêtait à Bons-Saint-Didier, et confiait ensuite son peu de voyageurs à quelques voitures destinées à gravir la montagne. L'attelage vigoureux et ennuyé dépensait son courage, au bruit de ses grelots, sur les routes hautes et tortueuses. Je souffrais du soleil vertical et du froid soudain que déversaient, de distance en distance, des groupes compacts de sévères sapins.

Mais seuls les chevaux intéressaient la collectivité ; on nous faisait descendre de voiture, marcher à leurs côtés quand la route devenait plus ardue. Je perdais le souffle, mais je donnais raison à la pitié. Et puis, vers le soir, on arrivait sur un terre-plein où s'élevait une étroite auberge en face du formidable et triste massif du mont Blanc. La pureté de l'air, dont le large déploiement s'imposait aux créatures, la gaieté de commande qui liait les uns aux autres les touristes, m'oppressaient, isolaient l'âme dans un silence de cristal. L'aubergiste, fière de sa modeste hôtellerie – unique asile –, faisait aux arrivants un accueil dominateur et souriant ; elle les logeait comme l'arbre des cimes abrite ses rares oiseaux frileux. J'ai connu dans ce pauvre chalet aux chambres monastiques un charmant vicaire botaniste, qui venait se reposer aux Voirons de son dur sacerdoce exercé dans les faubourgs de Lyon. Je le rencontrais le matin, lisant son bréviaire parmi les myrtilles et les champignons des sapins, ou le soir, agenouillé sur les dalles de la chapelle, faisant à la statue de plâtre de la Vierge une offrande de digitales et d'edelweiss, cueillis par lui dans ses périlleuses excursions des après-midi. J'étais une enfant souffrante, mais vaillante ; le jeune prêtre s'était attaché à moi. Il n'approuvait pas mes lectures, il me reprochait les quatre volumes de *la Vie littéraire* d'Anatole France, dont je faisais mes délices instructives, mais il aimait bien mon cœur et mon visage. Un jour chaud, sur un banc moisi, dans la plaine crépitante du chant d'insectes ailés, il me récita, non sans tendre émotion, ces vers consacrés par Victor Hugo à sa fille :

Elle était pâle et pourtant rose,
Petite avec de longs cheveux...

Je reçus cet hommage, saintement adressé, avec gratitude et le moins de coquetterie possible. Je vénérais et ne cesserai de vénérer ceux qui ont placé la poésie et la passion au-dessus des sens de la terre ; nulle jeune fille ne fut plus séduite par l'espace que moi, et pourtant je demeurais assurée que l'oncle Jean de mon enfance n'était pas au ciel.

Après mon mariage, ayant appris le décès d'une compagne de mes cours de solfège, je me rendis à ses obsèques. La musique, les fleurs, les noires draperies, le feu pâle des lumières évoquaient moins pour moi la mort inimaginable qu'une singulière et ténébreuse volupté. La vie est puissante dans une jeune femme rêveuse. Comme je restais la dernière sur le parvis de l'église, je vis de quelle manière alerte, avec quelle rapidité vigoureuse on déménageait soudain le deuil et les honneurs rendus au trépas. Des hommes robustes et affairés arrachaient les tentures funèbres, roulaient les tapis, soulevaient des candélabres argentés, d'apparence somptueuse, mais creux et légers et qui symbolisaient misérablement ce que la plupart des vivants accordent aux morts, et ce que les regrets humains ont de superficiel et d'éphémère. Je regardais avec stupeur cette cessation, à la surface de la terre, de la mort éternelle. N'étant pas restée en relation avec la jeune femme disparue, je pensais moins à elle qu'à ceux qui la pleuraient ; ma détresse se portait vers sa mère, à qui le destin venait d'arracher son petit enfant de vingt ans. Mes regards allaient des abords de l'église, où diminuait le bruit du rangement, à l'atmosphère de Paris, nuageuse, ventilée, qui m'obligeait à presser contre ma bouche une cravate de fourrure. Le sentiment que la mère, à jamais dépouillée, avait perdu sa fille de chair, la louable créature un peu lourde dont je me remémorais nettement les yeux, les cheveux, la voix – et non pas un ange planant désormais en d'invisibles régions –, provoqua en moi ce souhait de pitié profonde, conforme à mes vœux, et que la mère malheureuse eût repoussé avec horreur :

« Puisse-t-elle, du moins, ne pas croire que sa fille est au ciel... »

CHAPITRE V

L'enfant que je fus... – Le nom d'Anna. – Un regard de Mistral. – Sully Prudhomme et Gaston Paris. – Le prince de Galles et ses deux fils à Amphion. – Ma faculté d'admiration. – Confraternité. – Gérard d'Houville et Colette. – Le compliment à la princesse Louise d'Angleterre.

Si peu martelé par les événements, et gardant ainsi intact l'émail de l'âme, un enfant peut-il se croire pareil aux autres enfants ? Une certitude négative nous est fournie plus tard, quand nous nous apercevons à quel point, dès le plus petit âge, nous fûmes différents de nos puérils compagnons. Je revois la véranda du chalet d'Amphion qui tressaillait le soir aux cris élégiaques des hirondelles, dont le vol en sombres et légers coups de couteau poignardait un azur poudré de rose, flamboyant et puis voilé, sur lequel se détachait la danse silencieuse, aux angles aigus, des chauves-souris. Véranda mi-close, fraîche et bruineuse comme une barque arrêtée la nuit sur l'eau. Là, au moment qui précédait le dîner, sur des canapés encombrés de coussins turcs en laine rêche, je m'asseyais entre mon frère et ma sœur et me croyais innocemment toute semblable à eux, par un tendre sentiment de collectivité, propre à l'humble et chaleureuse enfance. Je les imaginais oppressés comme je l'étais, et je ne devinais pas que j'étais à la fois plus séparée et plus rapprochée de tous les humains et que l'immense poésie du monde m'avait choisie et pensait : « J'entrerai dans la gorge de cette enfant. » L'enfant que je fus et que, pareille en cela à tous les êtres, je suis restée, car rien n'est plus vrai que le magnifique vers de Victor Hugo, adressé par un adulte à un vieillard :

La beauté de l'enfance est de ne pas finir,

était donc tout différent des autres. J'éprouvais, parmi ma société enfantine, un sentiment erroné de parité, alors même que mes parents et leurs amis m'entouraient de louanges, qui, loin de corrompre mon cœur, suscitaient en moi un amour plein de gratitude et de modestie. L'orgueil qui devait s'affirmer et m'accompagner dans la vie n'était ni fat ni envahissant, mais n'a cessé de ressembler à une prière élevée vers l'inconnu. J'étais dotée de cette sympathie envers tous les êtres dont le seul obstacle est pour moi l'inimitié chagrinante d'autrui. À chaque témoignage de tendresse qui m'était adressé, un désir suffocant de rendre au donateur un peu de son bienfait et davantage encore m'écartelait le cœur. C'est une des tragiques pauvretés de l'enfance que tout échange lui soit interdit ; elle n'a aucun moyen d'offrir ; elle ne peut qu'être aimée ; l'immense amour dont elle-même dispose n'est pas recueilli, pas entendu. Que de pelotes à épingles confectionnées par moi, pour mon entourage protecteur, au moyen de vieux journaux dont je bourrais des lambeaux d'étoffe mal rapprochés et mal cousus ! Que d'éventails espérés, en joignant puis en déployant les plumes que les paons phosphorescents et blancs d'Amphion abandonnaient comme un branchage verdoyant ou neigeux sur le gravier du jardin ! Éventails rebelles et décevants, qui toujours retombaient à l'état d'un mince et vertical plumeau !

Dès le seuil du salon, que rendaient séduisant l'odeur de la gaie cretonne imprégnée comme un végétal d'une légère humidité, l'arôme de parquet ciré et l'effluve des mille roses débordant les vases de cristal, j'étais, je le reconnais, l'orgueil de ma famille. Mais je jugeais raisonnablement qu'on n'eût pas dû adresser à une petite fille les louanges qui m'étaient décernées publiquement. Ma mère, pour qui la musique représentait l'art suprême, ne doutait d'aucune de mes facultés. Elle entassait des volumes cartonnés de la collection « Litolff » sur le tabouret du piano, m'y faisait asseoir et annonçait que j'allais composer immédiatement des mélodies évocatrices, sur le sujet qui me serait donné. C'est ainsi que, tremblante, embarrassée, mais l'oreille tendue nettement vers l'infini, je reproduisais, à la manière d'une dictée harmonieuse et colorée, le chant des oiseaux, la naissance pâle et puis éclatante du jour, la campagne pastorale, la caquetante et radieuse basse-cour, la rêverie du croissant de la lune au-dessus des magnolias en fleur qu'enveloppait l'haleine mouillée du lac. Encouragée par un auditoire toujours trop bienveillant et, sans doute, sensible aux yeux verts allongés d'une enfant qui portait avec timidité les présents d'un destin privilégié, j'écrivis de petits morceaux de musique que ma mère fit relier dans un album de l'aspect le plus sérieux. Je demandai et j'obtins facilement qu'on inscrivît sur le cuir, couleur de noisette, en lettres d'or, le nom d'Anna. Sur quoi n'ai-je pas, de ma main d'enfant, écrit ce nom ? Le besoin où se trouve un petit être de se constituer le porte à reproduire le plus qu'il peut le signe qui le représente. Écrire sur des cahiers, sur des livres, sur du papier buvard, sur des cartons à chapeaux, sur le sable des allées, le nom d'Anna, équivalait certainement à ces médications fortifiantes qu'on donne aux enfants pour assurer le bon état et la croissance des os. Mon nom ne me plaisait pas, mais je fus exorcisée de l'ennui qu'il me causait par la remarque enjolivée de flatterie que me fit un jour un vieux monsieur (était-il vieux ? le sait-on à l'âge où j'étais ?), qu'il débutait par la première lettre de l'alphabet et qu'il demeurait égal dans les deux sens. Ce monsieur si aimable que, dans ma petitesse, je jugeai vieux, et qui voulait trouver dans la netteté réversible de mon nom une promesse de perfection, n'était pas seul à m'entourer de bontés. Nulle petite fille ne fut plus complimentée, plus embrassée que moi. Là fut ma chance, bien nécessaire, car, loin d'être altière, égoïste ou vaniteuse, je dépendais entièrement de l'affection de tous les êtres. Aucune créature autant que moi ne sollicita instinctivement, silencieusement, pour avoir la force de vivre :

Avec le pain qu'il faut aux hommes
Le baiser qu'il faut aux enfants,

ainsi que l'écrit leur suprême ami, Victor Hugo. La nuit, qui dispose en tous sens ses intangibles barrières et, par l'obscurité, le lit solitaire, le sommeil, défait le bouquet humain, séparant ceux qui s'aiment le jour, me rendait craintive, elle m'eût paru intolérable si je ne m'étais endormie avec la conviction que je posais ma tête sur l'épaule de l'ange gardien tant de fois décrit par la poétique et dure gouvernante allemande. Je n'eus pas à me plaindre de ma situation dans l'apparat ; dès qu'un visiteur était annoncé, on m'appelait, on me montrait ; mes parents attendaient avec confiance l'approbation, qui leur semblait certaine, des hôtes importants. Le superbe Mistral, pâtre royal, abaissa tendrement sur moi un regard compétent et divinateur dont je devais garder le constant souvenir (plus ému encore que celui de nos futures rencontres) jusqu'au jour lointain où, apprenant sa mort, je suivis longuement, dans la pure ténèbre d'un soir d'été, le sillage mystérieux d'un souffle de génie retournant à la patrie céleste. Sully Prudhomme, haut, lourd et clair, yeux d'ange et barbe d'évêque, me tenait assise auprès de lui cependant qu'il fascinait l'auditoire expert ou naïf, par un exposé patient et minutieux des lois de la prosodie – code implacable, masque de fer attaché sur le visage mobile d'Érato. Ronsard n'avait pas recherché et n'eût point admis tant d'obstacles à ses libres jeux de l'âme et du verbe guidés par une harmonie impérieuse et cependant nonchalamment confiante. Mais quel miracle ne peut-on attendre de la poésie, comme de l'adaptation de l'esprit aux contraintes imposées, si l'on songe que l'inflexible règlement ne gêna pas les deux poètes les plus expansifs, les plus prodigues d'effusions ineffables

– l'un, gigantesque, retentissant, universel : Victor Hugo – ; l'autre, balancé sur des strophes ailées autant que sur les échelles de soie qui, dans les soirs romantiques, élèvent l'amant imprudent vers les vierges et les sultanes : Alfred de Musset ?

Lorsque j'eus quinze ans, je rencontrai une fois de plus Sully Prudhomme. Le maître bienveillant qui avait accueilli avec une allégresse abondamment épanchée mes poèmes d'enfant (en me priant néanmoins de ne point m'écarter du chemin ardu, classique) avait été convié avec moi dans la bibliothèque du Collège de France illustrée par Renan, qu'occupait, après lui, le savant, le gracieux Gaston Paris, notre hôte. Je vis avec tristesse que le poète vieillissant, dont la foi avait tant défendu contre mes vœux de petite fille « la rime pour l'œil », se demandait à présent, avec la limpide anxiété qui composait tout son être, si ses efforts et ses laborieuses restrictions n'avaient point été vains ou nuisibles. Il n'était plus convaincu comme jadis que *blasphémer* et *aimer* constituassent une mélodie satisfaisante, tandis que *froid* et *effroi* ne se devaient pas confronter. La querelle de l'hiatus, se rapportant à *il y a* et *l'Iliade*, l'un autorisé et l'autre interdit, perdait aussi de son importance à ses yeux azurés de fleur de bourrache qui va se fanant. Pareil, soudain, à son poignant poème stellaire sur la Grande Ourse où rêvent les pâtres de Chaldée, il douta de ce qu'il avait vénéré, et, soucieux, soumis encore, mais désormais sans joie, méditant le joug sous lequel pliaient ses moissons tardives, il « examina sa prière du soir ». Hardiment, Gaston Paris, vieil homme juvénile en qui affluait avec permanence la vie printanière, prit mon parti contre son ami, victime d'un cœur où le scrupule et l'obéissance l'avaient emporté sur la féconde témérité. Et je bénissais l'érudit, le gardien des livres poudreux et des textes immuables qui accordait des droits d'expansion aux pétales bouclés de la jacinthe là où le noble Sully Prudhomme, poète et philosophe, mettait des carcans aux corolles.

***

Revenons à ces journées enfantines qui, chacune créatrice, nous apportent une neuve nourriture dont nous bénéficierons en notre esprit, en nos actes, en nos œuvres futures.

Édouard VII, alors prince de Galles, de passage à Lausanne, annonça, un jour d'automne, sa visite à Amphion. Une allégresse religieuse s'empara de nos bonnes anglaises, immédiatement extasiées comme une communauté monastique à l'heure de l'adoration.

La saison épanouie, à peine tachée par la rouille dentelant de secrets taillis, mais en ses élans visibles peinturée de pourpre et de feu comme les brugnons réputés des espaliers d'Amphion, accueillit dans un envolement de vent bleu et de feuilles colorées le prince courtois. Un thé superbe lui fut servi dans la salle à manger d'aspect simple et désuet, décorée de tableaux giboyeux, et dont les portes vitrées, ouvertes sur une portion parfaite du paysage, encadraient l'horizon liquide, la terrasse ombragée de palmes, où des chaises de jardin, rendues confortables par une élasticité métallique, brillaient d'un jaune vif qui les apparentait aux massifs des pelouses. Descendues des balcons, les vignes vierges carminées de septembre se balançaient comme d'innocents serpents veloutés. De tous côtés se pressait contre les fenêtres allongées du chalet le peuple des fuchsias, arbustes aux fleurs violettes et purpurines, éclatées sur de longs pistils, et qui semblent de ténues danseuses aériennes.

Tandis que circulait autour de la table une volumineuse théière d'argent et que les « pain et beurre » chers à l'Angleterre diminuaient dans les plats de porcelaine (porcelaines fleuries, si fraîches au regard qu'elles sont les jardins intérieurs de nos maisons), ma mère vint me chercher et m'apporta fièrement au futur souverain. Je levai craintivement et furtivement les yeux sur ses deux jeunes fils, plus intéressants pour moi que le visage charnu, au bleu regard dilaté, du père. Le fils aîné, doté du nom poétique de duc de Clarence, me plaisait moins que le cadet. Dans la croyance où j'étais qu'il me faudrait un jour choisir l'un des deux pour époux – car ma mère, innocente et taquine, ne reçut jamais aucun homme, dans mon enfance, sans me demander gaiement si je voulais l'épouser (hantise de l'amoureux Orient) ! – je restai plusieurs jours silencieuse, en proie à une prostration cruelle dans laquelle se débattaient les deux exigences rivales qui inspirent toutes les énergies : l'ambition et le sensuel attrait.

C'est dans son sens le plus précis, mais le plus étroit, impersonnel et triste, que ma mère, amusée, avait offert à mon imagination le désir de régner ; et, sans doute, la transfiguration s'était-elle faite immédiatement en mon cœur, puisque je discernai un devoir dans une tâche si curieuse et située au sommet d'une solitude altière. Néanmoins, la langueur que j'éprouvai en supposant qu'il m'était enjoint de renoncer à celui des deux adolescents qui représentait le séducteur, me mit en présence des tentations dont naquirent la tragédie de tous les siècles et le motif de la plupart des arts. Si j'interroge mon souvenir, l'ambition anima certes ma volonté et ma bravoure ingénue dès le plus jeune âge ; je ne fus jamais sans pressentir mon destin. J'eusse frémi de terreur sacrée, de scrupules, de remords, à la pensée d'avoir été créée, placée avec le cœur le plus ardent au centre du monde, sans laisser en tous lieux possibles de l'univers bruissant, aromatique, terrestre ou éthéré, mon reflet et mon empreinte. Le mélancolique vertige qui s'emparait de Jules et d'Edmond de Goncourt à la certitude que le papier des livres qui contenaient leurs travaux et leurs rêves ne serait que cendres au terme de trente mille ans – pour plaisant qu'il soit –, pénètre tout esprit créateur. Il lui inflige, fût-ce un instant, et avec sarcasme, le sentiment anxieux de sa présomption, dédaigné par le distrait espace. Mais qui ne se sent pas la puissance et la durée des dieux au moment où, chargé d'âme et de poésie, il espère se léguer à l'avenir, est voué à la paresse, aux besognes insignifiantes et, ce qui est plus coupable, imparfaites en leur modicité.

Et pourquoi ne pas raconter jusqu'à quel point j'ai porté le souhait de m'approcher plus que tout autre de la beauté du globe, d'en déchiffrer et recueillir les secrets, de la communiquer intacte et vive, baignée de sa rosée, parée de ses astres, à tous ceux qui pouvaient m'entendre ?

Dans le rire de l'extrême jeunesse, quand tout est grâce, espièglerie permise, je m'amusais à dire (venant de publier *le Cœur innombrable* et recevant, dès lors, tant de manuscrits et de volumes de vers) que j'étais prête à répondre à mes nouveaux confrères, après avoir parcouru leurs ouvrages, avec peut-être la crainte qu'ils n'eussent dépeint les éléments, et surtout la jubilation, la tristesse, la soif du cœur avec autant d'amour que j'en éprouvai : « Monsieur, je viens de lire vos beaux poèmes, j'en ai été quitte pour la peur... » C'était là une plaisanterie que j'avais tort d'apprécier, car elle ne correspondait à aucun besoin de mon esprit, qui ne fut soutenu, au cours de la vie, que par ma véhémente et pieuse faculté d'admiration. Je ne me suis point trompée sur les habitants des cimes quand je vénérais Sophocle, Ronsard, Montaigne, Shakespeare, Voltaire, Nietzsche, Hugo. J'ai aimé ou excusé de mauvaises odes, des stances détestables, de fâcheux sonnets, quand s'y trouvait enchâssé, parmi les banalités ou l'extravagance, quelque adjectif brillant du seul éclat de ses syllabes évocatrices : *écarlate, azuré, pastoral, magnanime,* absolvaient à mes yeux l'auteur. Nulle malveillance, je le jure, ne put jamais forcer mon cœur, espérer de s'y glisser, d'y avancer d'un pas. Non seulement un don d'ingénuité définitive faisait circuler en mon être une rapide et salubre brise, où l'oxygène, le frais ozone entretenait un pur climat, mais encore j'étais née limpidement orgueilleuse. Celui qui est orgueilleux, qui ne serait même que vaniteux avec grâce, veille farouchement à la noblesse et à la netteté de l'âme, agit de façon à se complaire. De plus, ce que l'on appelle la générosité et qui, chez moi, est impulsion, bondissement et joie, me portait à aider fraternellement tout être, et de préférence quelque ennemi, à obtenir ce qu'il souhaitait. Les éditeurs, les directeurs de revues reçurent de mes mains, avec d'insistantes supplications, avec des regards d'Andromaque, ce qui se pouvait, sans déshonneur de l'intelligence, recommander à leur attention soupçonneuse. Si déréglées étaient mes alertes démarches, qu'un ami des premières années de mon mariage, Léon Daudet, attaché à moi par son génie imaginatif, verbal, lyrique, et davantage encore à ma sœur, dont le charme secret et tenace était pareil à certains parfums qui ne diminuent pas d'intensité, me criait d'aussi loin qu'il me voyait – de cette voix soleilleuse de Provence, qui un jour s'emporta contre ceux qu'il avait aimés, et les méconnut : « *Pas de zèle !* » Il espérait me déshabituer des vibrantes dédicaces que j'adressai sur mes livres aux plus négligeables écrivains, et, parodiant mes formules d'excessive politesse, il affirmait plaisamment que je signais volontiers : « Votre admiratrice rougissante. »

Certes, il se pourrait qu'en telle occasion vraiment éclatante, favorable et opportune, l'intelligence et le goût fussent envieux. L'envie, rêveuse, passive, sans action, ne me paraît pas blâmable ; c'est une constatation de la beauté, un souhait d'élévation et de communauté. J'ai connu des envieux, je sus leur plaire et me les gagner. Il est un remède à l'envie : ce qu'il est juste d'envier, il s'agit seulement de l'aimer. Alors, l'émulation seule demeure, mêlée de tendresse et de gratitude envers ce qui fut en droit d'exciter notre convoitise.

En même temps que paraissaient, dans *la Revue de Paris*, mes premiers poèmes, que leur franchise, leur arôme de bourgeons et de fruits pénétrés d'abeilles, firent tendrement priser, Marie de Heredia, qui venait d'épouser M. Henri de Régnier, publiait, dans *la Revue des deux mondes*, sous la légère signature de « trois étoiles », des vers purs et plaintifs, émanés, eût-on pu croire, de la gorge d'une imprudente Nausicaa menant ses jeux au bord du fleuve funèbre et apitoyant par sa grâce de créole, nourrie de miel ionien, l'antique nautonier. Longue, ambrée, mollement coiffée d'une avalanche de cheveux bleus, cette fille mystérieuse des nuits semblait avoir cueilli l'énigmatique figure astrale qui terminait ses chants parmi les constellations, dans la céleste *Chevelure de Bérénice*, aux abords *d'Andromède* et de *Cassiopée*. Paris, à qui l'univers fait écho, s'émut au son de ses strophes surprenantes, dont la mélodie, la couleur, le sanglot, ne cessèrent jamais plus de me séduire. Ainsi le firent ses romans félins et mélancoliques – comme elle veloutés, malicieux, fringants, et comme elle affligés.

Plus tard fit irruption un écrivain longtemps voilé, qui, de son beau visage aigu de renard déchiré à tous les buissons aromatiques, troua la trompeuse dentelle appliquée sur tant de force acérée. Et l'on vit apparaître, lasse de dissimulation, provocante, effrontée, sûre de soi, paisible aussi comme Cybèle, énigmatique comme la déesse africaine, chatte et tigre, Colette, aux yeux de puissante naïade avisée. Ce nom délicat, naïf, jusqu'alors porté par des jeunes filles qui suggéraient la vision de leur pensionnat distingué, de leurs fiançailles élégantes ou contraintes, devint, dans sa brièveté, sa solitude dominatrice, un cabochon démesuré et sans fêlures, auprès de quoi pâlirent toutes les pierres taillées, lui dédiant spontanément leurs faisceaux de lueurs.

Je ne décrirai pas ici le génie de Colette ; autorisez-la à faire usage d'un dictionnaire entier, elle y creusera son gîte, produira par jaillissement et avec labeur, dit-elle, une œuvre succulente, sanguine, végétale, où tous les vocables sembleront avoir été raflés et distribués sans pourtant que nulle adjonction vienne alourdir un récit qui se réclame de la vie et de la nécessité. Ne lui accordez plus que l'emploi de quelques adjectifs, Colette les disposera d'une main si habile à construire, que le monde viendra se refléter en eux, y installer avec une loyale astuce ses opulents bagages immenses et réduits. Colette, dès qu'elle écrit, penchant sur son travail la masse légère et brève de ses cheveux d'un blond mauve, pareils à un plant de violettes de Parme, sait fonder une contrée, élever des villes, susciter la mer et le ciel variés. À l'égal du Nil déifié, elle rend fertile et vivace le feuillet aride, fait croître des récits envahissants, tentateurs et redoutables par leur active présence. Mais deux lignes d'elle dans un journal éphémère ont le pouvoir de décrire une représentation d'*Hamlet* ou la pyramide de stoïques et anxieux équilibristes, dont les muscles domptés peinent sous les projecteurs aveuglants du cirque, comme dans les tableaux fameux d'un Toulouse-Lautrec et d'un Degas.

Marie de Heredia (Gérard d'Houville), dont le trio d'étoiles se posait, comme les étincelles d'une nonchalante fusée au bas des stances les plus harmonieuses, exalta mon esprit dès notre extrême jeunesse. Colette, univers concentré, scène du monde que piétinent les passions, « *l'une portant son masque et l'autre son couteau* », voilà les deux dryades pensives dont j'eusse voulu découvrir les secrets et les dérober. Dès que je connus l'une, et puis l'autre, je cessai d'être curieuse du laboratoire de leur génie et, sans réfléchir à ce que nous avions de pareil ou de dissemblable, je choisis de les aimer. Cependant, rien ne vaut qui ne nous vienne de l'âme. Je ne tairai pas l'énergie méritoire de mon enfantin passé. Petite fille timide et délicate, adolescente souffrante, jamais ma vaillance et mon opiniâtre amour des choses n'oubliaient que j'ai pour patrie maternelle le Taygète, le sol où le jeune Thémistocle préférait attirer sur soi la disgrâce et les châtiments dont on menaçait, dans le stade, les coureurs frémissants, que de mettre en péril sa chance et son triomphe. Aux anciens, qui réglaient avec minutie les jeux et veillaient à conserver l'ordre parmi les athlètes, Thémistocle, dont l'élan ne pouvait être contenu, répondait, dédaigneux des réprimandes : « Il est préférable d'être frappé de baguettes et d'arriver au but de telle sorte que l'on obtienne la couronne de roses et de feuilles d'olivier... »

Mais je reviens à mes souvenirs de petite fille d'Amphion. La princesse Louise d'Angleterre, sœur du prince de Galles, très amicale envers ma mère qui avait été élevée dans le proche voisinage diplomatique de la cour de Londres, fut pour moi l'objet d'un incident notoire aux yeux d'une enfant. Comme elle devait aborder à notre rive sur la *Romania* qui avait été la chercher à Montreux, on m'avait appris un bref discours en anglais, qu'il me fallait lui réciter en lui offrant un somptueux bouquet de fleurs. La phrase bien composée me troublait en ce langage étranger que ma mère parlait parfaitement sans que j'aie jamais pu acquérir l'accent désirable. Elle se terminait par cette salutation : « *The welcome be your Royal Highness.* » En proie à une timidité douloureuse, non seulement je sentis mon pied se prendre dans les planches à claire-voie du débarcadère, ce qui compromettait une révérence longuement étudiée, mais encore je déformai les derniers vocables de mon compliment et je prononçai : « *Your royal honey* », c'est-à-dire *miel royal*, sous l'œil pour la première fois sévère de ma mère. Je souffris, mais ensuite, je raisonnai. *Miel royal* à la place de *royale grandeur* m'apparut poétique et consola solitairement ma conscience triste, où l'on avait introduit un sentiment de culpabilité.

Par ces récits où dansent autour de ma tête enfantine de légères auréoles, peut-être croit-on que la petite fille dont les parents faisaient briller les mérites en toute occasion était sans cesse l'objet des mêmes faveurs. Bien au contraire. J'ai déjà signalé la dureté, le manque de douceur des gouvernantes. Dès qu'on me remontait à l'étage supérieur, où se trouvait notre appartement d'enfants, un réel martyre commençait pour moi. L'humeur irritée et souvent excusable des filles étrangères à qui nous étions livrés la plupart du temps, s'exerçait sur moi, sensible à toute parole, alors que mon frère échappait à la hargne de ces corps dépaysés, par la considération que leur inspirait un garçon, et que ma sœur, esprit secret, solide, inentamable, les laissait indifférentes. J'ai gardé de mon enfance, dont j'ai marqué les points lumineux, les étroites îles d'or, un souvenir si pesant, si cruellement et justement offensé, que toute détresse me semble moins injurieuse que ce déséquilibre sans nul recours où se trouvent la sagesse et la droiture de l'enfant, menacé par les forces frivoles de ceux qui le gouvernent.

CHAPITRE VI

Plaidoyer pour les coupables. – Promenades au crépuscule d'été. – Un homme entre deux gendarmes savoyards. – Alarmes physiques. – Le tramway de la rue Taitbout. – Le nouveau cours de solfège.

La pitié fut, dès l'aurore de la vie, mon sentiment dominant ; la puissance de douleur allait chez moi jusqu'à l'intolérable. Il suffisait que notre gouvernante dît, à l'heure du goûter, alors qu'un pot de crème à la vanille m'était présenté – et rien ne me paraissait plus délicieux –, que les enfants pauvres en étaient privés, pour que je reposasse sur mon assiette la petite cuiller qui venait de m'enchanter par le don d'une saveur délectable. J'ai ainsi offert à la vision vague, immense, de l'enfance sans bonheur l'hommage et la privation inutile de mon dessert. Arômes du sacrifice d'Abel montant vers un espace où rien ne pouvait l'accueillir ! Il y eut aussi l'enchantement du bain tiède, de ce restreint, mais enveloppant paradis liquide dont je me faisais un reproche. Le bain heureux, aujourd'hui encore, éveille en ma conscience, obscurément ou avec vigilance, l'indicible regret d'un univers construit sans équité. Je dois au cœur de ma mère, bien que mon père fût généreux et bon, mais il aimait qu'on lui fût soumis, de ne me sentir séparée d'aucune créature, d'être soucieuse du besoin de toutes, de confondre leur vie avec la mienne. La tasse de thé que ma mère offrait à l'accordeur de piano avant de se servir elle-même, alors que, jeunes filles, nous assistions aux préparatifs d'une fête musicale promise pour la soirée, m'a enseigné la fraternelle amitié envers chaque humain. Ce sentiment puissant, porté par la logique, déesse insociable, me rend inapte à ce que l'on appelle la justice dans son sens sévère, c'est-à-dire dans ce triste et peut-être nécessaire oubli du nonchalant destin qui, négligemment, fait naître les mortels sous le signe de la rose ou sous celui de l'ortie. Aussi, quelque exaltation que me fasse ressentir la beauté morale et bien qu'ayant, dans l'enfance, pâli d'amour en épelant l'épitaphe sacrée : « *Passant va dire à Lacédémone que nous sommes ici, morts pour obéir à ses lois* », la vertu ne m'inspire pas un sentiment de surprise émue ; je vénère et j'aime ceux qui en sont le lieu vivant, mais je les juge par elle récompensés – tandis que les coupables sont, à mes yeux, poignants par leur malchance irrévocable et désordonnée.

Les coupables, mot qui ne peut s'appliquer au coupable lui-même, mais à sa lente, séculaire, successive formation, à son aboutissement inévitable. Un homme tue, vole, manque à l'honneur, à l'observance des lois – mais depuis quand ? depuis combien de temps ? Répondons bravement : depuis toujours. Prévu et incréé, il devenait ce pitoyable lui-même au cours des nombreux engendrements qui devaient aboutir à sa présence redoutable, hideuse, chétive, nuisible. Rien ne me paraît plus pathétique que cette scène d'un roman de Dostoïewsky : dans un monastère de Russie, l'un des moines, doué de clairvoyance et distribuant ses bénédictions, aperçoit soudain, parmi les assistants, l'homme désigné pour la future violence ; alors il se trouble, réfléchit, le contemple, s'approche solennellement de celui qui est encore sans préméditation turbulente, et courbe son vieux corps, indemne de péchés, devant la créature qui naquit pour le malheur.

Étant enfants, ma sœur et moi, nous faisions presque chaque soir, en été, une promenade en voiture découverte, avec nos parents, sur la route d'Amphion à Thonon. Assises toutes deux sur le strapontin de la Victoria, nous goûtions silencieusement le plaisir fortuit de nous trouver mêlées sans entraves aux douceurs bucoliques et comme jetées en travers du monde végétal.

Je pense que c'est dans ces instants-là que l'éblouissante nature s'empara définitivement de moi, m'envahit pour toujours, se concentra, en donnant à l'âme une extension infinie, dans un si petit être. Le temps n'a rien effacé en ma mémoire de la route en poussière blonde et chaude, des haies épineuses tressées de mûriers et d'églantiers, où les baies bleues du prunellier sauvage s'arrondissaient humblement sous l'aigrette aiguë et fanfaronne de l'épine-vinette en grains de corail. Écoutant distraitement le pas monotone et résolu des chevaux, ma sœur et moi nous contemplions l'horizon que chaque seconde modifiait. Enveloppés des nuances vives et puis défaillantes et vaporeuses du crépuscule, apparaissaient les clochers des églises, pareils à des colombiers élancés, les maisons basses des villages, les peupliers feuillus de leurs racines au faîte, les pampres traités contre la moisissure par une chimie heureuse, qui les teintait du bleu des faïences persanes. Sur le bord de la route se rangeaient, sous la direction benoîte d'un adolescent intrigué par notre passage, une multitude de petits porcs noirs, démons gaiement dessinés. Déjà comestibles à l'œil, on eût voulu les arracher à leur destin inéluctable et succulent, ainsi que leur mère énorme, armoire ambulante qui les suivait et qui eût pu les recéler de nouveau. Les cris d'un pourceau ligoté, mis à mort pour des agapes paysannes, et que j'entendis dans mes plus neuves années, m'avaient laissé l'atroce souvenir d'un crime laborieux, maladroit et cachottier. J'eus aussi de vifs chagrins pour le petit veau encore mol et crémeux, qu'un paysan traînait par une corde sur le chemin ou emportait au trot de sa charrette. « On le mène à l'abattoir », avait dit, la première fois, l'une de nos bonnes. Éperdue de douleur, je demandai à l'acheter. À présent encore, l'argent m'apparaît surtout comme un moyen de soustraire les créatures à leur sort redouté ; la fortune est, à mes yeux, l'auxiliaire de la compassion plus encore que du plaisir.

Parmi les plaines qui, aux côtés de la route d'Amphion à Thonon, étalaient des tons verts, cuivrés ou vermeils, selon la culture du sol, j'apercevais soudain, avec allégresse, une prairie que, par places seulement, des coquelicots capricieusement recouvraient : archipels de fleurs écarlates et sirupeuses, vivant là, en tribu, leur éphémère existence, de couleur triomphale.

Absorption de la Nature par tous les sens ; tressaillement en mon cœur de la poésie ; vague et total enveloppement de l'être par l'amour, dont j'avais ressenti le précis vertige dans notre chambre du chalet, lorsque le jeune matelot Alexis, soulevant de terre la petite fille que j'étais, l'embrassa sur la joue, d'une lèvre duvetée dont notre bonne allemande avait bien la connaissance – toutes ces sensations, bercées au rythme allègre de la Victoria, montaient de mon rêve innocent vers les cieux de Savoie, me jetaient en eux et semblaient m'y fixer parmi la liquide palpitation des étoiles du soir.

***

Pendant ces promenades au crépuscule paisible, nous voyions, parfois, venir de loin un pauvre homme dépenaillé, soutenu et dirigé un peu brutalement par deux gendarmes savoyards aux bons visages lustrés. Le groupe aperçu à distance par moi, qui voyais aussi nettement l'amplitude de l'horizon que les délicates et fermes coutures de l'épi de blé et que le gonflement du col chantant d'un roitelet sur la branche d'un sapin évasée en panache d'écureuil, me causait une souffrance aiguë. Je ne haïssais pas les gendarmes agrestes, dociles envers d'invisibles décrets, mais j'aimais leur prisonnier.

Pauvre homme ivre, sans doute, ou triste indigent ayant dérobé quelque objet à l'étalage d'un bazar. L'avait-il voulu, ce méfait pour lequel il trébuchait entre deux étreintes énergiques, sur la route où périssait, aux yeux des passants, son maigre et modeste honneur ? Et quelle créature a voulu quoi que ce soit que la destinée antérieure et la chaîne des événements ne l'aient inexorablement préparé pour elle ?

Compassion et pardon pour tous – dangereuse philosophie du cœur, je le sais – ; arrachement des tuteurs inflexibles qui font croître noblement le vignoble humain ; mais mon homme pauvre de la route de Thonon, mon modeste voleur, par sa faiblesse, son humilité d'agneau, par son absence de ruse et d'arrogance, eût, je le jure, su plaire aux anges ! Bouleversée par ce spectacle qui se renouvelait, je priais chaque fois ma sœur de s'associer à moi dans le salut de tête que je ne manquais jamais de faire au passant déchu, lorsque sa misère croisait notre voiture. Enfant parée, protégée, à l'abri des forfaits, je désirais présenter au déshérité qui me faisait ainsi courber le front mes excuses d'être innocente.

Cette aumône de la pitié, offrande de la raison profonde, il n'est pas un jour de ma vie où je ne fus prête, où je ne sois prête à la faire. Jeune fille, et lisant par désœuvrement, aux heures blanches et nues d'après le repas de midi, la quatrième page des journaux consacrée jadis aux délits, je recommandais à Dieu, le journal à la main, dans ma prière d'avant le sommeil du soir, et en les désignant par leurs noms, ceux qui s'étaient rendus fautifs ; pauvres héros d'une lutte meurtrière, vagabonds répréhensibles, pécheurs de tout ordre, je n'omettais rien. C'était une comptabilité strictement tenue par moi, que je présentais, avec confiance et en sollicitant son indulgence, au Dieu responsable, pensais-je, des errements de sa créature.

Lorsque, plus tard, je lus Nietzsche, dans la félicité qu'octroie ce discourant soleil, je lui fus reconnaissante de cette phrase de charité suprême : « Le véritable orgueilleux est celui qui ne supporte pas qu'on humilie un homme devant lui. »

Probablement est-ce l'agilité de mon cœur vers l'espace, l'attraction des astres dont j'observais, comme en prière, la palpitation et les balbutiements scintillants, mon amour de l'équité, qui me firent écrire dans un cahier, où, jeune fille, je consignai les réflexions de ma solitude : « Rien ne m'émeut davantage que la vue du ciel étoilé et le sentiment de la justice dans le cœur de l'homme… » Un de mes amis les plus chers recueillit plus tard cette page, en m'affirmant que Kant avait employé à peu près les mêmes mots. Quoi !

lui si haut, lui si loin, Kant de Kœnigsberg, le promeneur ponctuel que l'on vit déroger à ses coutumes et faire un inconcevable détour à la nouvelle de la Révolution française, le philosophe au nom toujours présent, dont la sonorité brève et dure frappe l'esprit comme une clé qui a le pouvoir d'ouvrir la porte de toutes les métaphysiques, avait eu, un instant, le même cœur qu'une enfant de quinze ans ? Je ressentis un muet orgueil à constater la rencontre et le rapprochement des regards dans la nue et dans la profondeur de la conscience humaine.

Le sentiment de la compassion, dont je répète qu'il est sans doute le plus fort en moi avec celui de la dignité de l'être, fut cause de plusieurs incidents d'une cocasserie variée.

Vers quatorze ans, je commençai à souffrir violemment d'une appendicite qui troublait ma santé depuis mon enfance. Petite fille, j'avais connu, en tous lieux où j'avais espéré le bonheur, ces malaises affaiblissants auxquels j'opposais une négation inébranlable de l'esprit : cet *inaccept* dont la science a pu établir qu'il était la loi même de la vie, la constance obtenue par la lutte des créatures contre un monde qui les a suscitées et ne les agrée plus. Déceptions inévitables, dans le froid de décembre, lorsque s'allumait, sans que j'y pusse assister, chez les sœurs de mon père, mes tantes françaises, l'arbre de Noël, évoqué bien des jours auparavant avec un poétique amour, comme la palme orientale, dans un poème de Henri Heine, songe au sapin du Nord ! Réclusion imposée, en été, tandis que mon frère et ma sœur parcouraient les forêts de Ragatz, aux confins de la Suisse et de l'Autriche, où les torrents et le vent, dans les épaisses forêts, menaient le galop panique des strophes ténébreuses de Goethe, des musiques chasseresses de Weber. Impossibilité mélancolique de suivre ma famille à Chamonix, nom neigeux et fourré, qui me tentait comme une gigantesque friandise. Désespoir à Constantinople, quand j'étais seule à ne pouvoir me joindre au groupe de mes oncles en redingote, coiffés d'un fez, et de mes tantes ravissantes, vêtues à la parisienne, qui allaient, avec la curiosité moqueuse du Grec pour le Turc (que ma mère jamais ne partagea) assister à une séance sacrée de « derviches tourneurs ».

Le temps n'avait fait que rendre mon mal plus certain et plus vif. Si épuisantes étaient à présent les douleurs qui m'étreignaient, que je parcourais tristement le jardin et les vergers d'Amphion, avec l'imprécis mais profond désespoir d'un très jeune être en qui les alarmes corporelles semblent vouloir dominer la vaillance, abolir la pensive et grave résistance. Je maigrissais, je changeais de visage. J'ai l'habitude de dire qu'à partir de ce moment-là je n'eus plus le type pour lequel j'étais née, car, de robuste petite fille que j'étais, aux membres délicats mais arrondis et aux joues colorées, j'acquis ce caractère physique plus frêle, plus nuageux, qui fit de moi une adolescente pathétique, en dépit de la source du rire qui peut jaillir de mon désert, de ma famine, de mes brèves et mystérieuses morts, aussi étrangement que du rocher de Moïse. Je ne vanterai pas mon courage, comme j'en aurais le droit. Je l'assimile à mes forces, à mes chances. Je peux le décrire comme on dit : « J'ai les yeux verts, les cheveux noirs, la main petite et puissante, la substance de l'âme invincible. »

Une mélancolie bravement dissimulée qui m'envahissait au cours de ces promenades, recommandées par des médecins peu avisés, comme si l'énergie qu'ils observaient en moi eût pu, à elle seule, combattre les sournois méfaits de la maladie, avait frappé et peiné les modestes habitants de la côte d'Amphion et, tout d'abord, le fermier et la fermière. Ce ménage de rudes paysans habitait une demeure située sur le bord de la route, et toujours fumante d'une odeur de permanent repas, dont la buée cherchait des issues vers l'espace. Je n'étais séparée de ces gens excellents que par la palissade du jardin. Ils s'inquiétaient de me voir dépérir, traversaient le chemin et venaient causer avec moi. Plus exactement, ils me présentaient, parmi quelques interjections, embarrassées par le respect, une série de physionomies contristées, silencieusement interrogatives et empreintes de commisération.

Je rendais à leur sympathie une sympathie plus vive encore, ce qui encouragea la fermière, sorte de sorcière rustique, vermillonne et tannée, aux cheveux en poils de chèvre, mère pourtant de nombreux enfants dont elle allaitait le dernier (alacrité de l'instinct chez le fermier !) à me confier que sa fille Protésie, du même âge que moi, ressentait des troubles analogues aux miens. Elle ne digérait pas, perdait l'éclat de son épais et fourbe visage. Intéressée à la misère de cette adolescente autant qu'à la mienne, et déjà habituée à distribuer avec une sorte d'autorité judicieuse les médicaments que je jugeais expédients, je traitais la pitoyable Protésie comme je me traitais moi-même ; je lui portais des cachets et des pilules, je lui indiquais la manière d'appliquer des compresses afin d'assoupir la douleur. Ainsi j'attirais sur moi les bénédictions de la nombreuse famille et du voisinage ému. Un jour, j'appris que Protésie, dont tout Amphion disait : « Elle a la même maladie que Mlle Anna », venait de mettre au monde un petit enfant malingre, conçu dans le vertige et l'ébriété du hameau en fête d'Amphion-la-Rive. Cette leçon ne me découragea pas. Le *J'ai la même chose que vous*, dit charitablement à la penaude campagnarde qui sentait la brebis, le fromage, la fumée de la soupe éternelle qui bouillait comme un encens vers des dieux végétaux, sur le fourneau de ses parents, devait être répété souvent encore par moi.

Une de mes jeunes amies du lac, que l'on me permit d'aller voir dans un sanatorium, était fort éprouvée par une anémie cérébrale. Couchée dans une position inclinée, les pieds plus haut que la tête, elle me semblait manquer, ainsi que ses compagnons d'infirmité, au noble respect humain par une exhibition loyale et triste.

Je tins à lui affirmer, faisant allusion à des moments de cruelle fatigue que l'insomnie m'infligeait : « J'ai la même chose que toi. » Le bruit s'en répandit ; ma mère et moi nous dûmes – et ce fut aisé – fournir à quelques malveillants le témoignage de ma volubilité dans la conversation et de ma mémoire.

Les spontanés mensonges que je proférais pour dissimuler à des créatures dans la peine l'isolement et la particularité que cause le malheur physique, je suis tentée de les commettre toujours.

Pendant la guerre, je fus en proie aux justes visions de la plus grande des catastrophes, répandue sur le globe. Bien que ne concevant pas la vie sans le salut d'une nation innocente, un désespoir universel m'avait envahie. Nuit et jour, je regardais l'espace où luit à tous les yeux l'unique soleil, ou croît et décroît la lune de toutes les contrées. L'infini des cieux m'attirait, par sa pure négligence, hors des luttes hideuses de la fourmilière humaine. J'en étais venue à ne plus pouvoir poser mon regard sur une main, tant m'oppressait le sentiment que le réseau des veines était fragile, précaire, menacé, ouvert sur l'étendue terrestre. La mort diffuse, la mort perpétuelle, m'avait déshabituée de ma propre vie.

Dans ces moments de constante hantise, une charmante créature, au visage menu et gai d'oiseau dansant, les yeux pimpants, avivés par une chevelure précocement grisonnante, venait me rendre visite chaque matin. Amenée près de moi par la poésie qu'elle aimait, retenue par ma visible douleur, elle obtint ma confiance. Je répugnais pourtant à lui décrire mon intolérable malaise, tant il me semblait indigne de songer à moi lorsque souffraient tous les corps. Silencieuse, souriant par gratitude, je lui laissais le choix des divertissements qu'elle souhaitait m'apporter : chants espagnols, lancés avec audace et imitative pétulance ; esquisses de fandangos et bruits de castagnettes ; dictons cités dans l'idiome de toutes les provinces de France ; confection, au centre de la chambre languissante où je semblais un blessé au repos, de mets pittoresques, qui mélangeaient la tomate avec l'olive, le piment, le maïs, sur un ingénieux appareil électrique. C'était un des charmes de ma neuve et sensible amie, nomade que tour à tour chaque pays avait conquise, de croire que la polenta reconstituait Naples et la pauvreté chantante du Pausilippe ; la tomate ou le piment, un cabaret à Burgos ; l'olive, les auberges d'Agrigente.

Je subissais avec reconnaissance sa bonté inventive qui s'ingéniait à me procurer toutes sortes de distractions sans parvenir à m'apporter le moindre secours. Mais, un jour, j'entendis la bénévole visiteuse, à qui je m'étais comparée en souvenir d'une mélancolie de jadis, dont elle m'avait fait la confidence, s'irriter contre moi, tant sa nature pétillante était loin de pouvoir s'apparenter à ma détresse. Et elle prononça ces paroles stupéfiantes : « Mais qui de nous n'a souffert les tortures qu'en ce moment vous endurez ? Dès ma jeunesse, j'ai connu, par intermittence, cette anxiété. Oui, qui de nous ne s'est pas cru chien, qui de nous ne s'est pas cru panier ? » Je regardai craintivement ce visage gracieux qui soudain me parut redoutable. Ainsi, le charmant pivert dont les yeux en rosée riante et les pittoresques pèlerines battaient gaiement des ailes dans ma chambre, était une inconnue, un être parfois grièvement déraisonnable, dont la pensée, loin de toute discipline, avait habité la région décriée des absurdes phantasmes !

Depuis, c'est avec plus de circonspection que j'ai affirmé à toute créature que sa souffrance était en tout point semblable à la mienne.

Cette vivace et universelle sympathie qui m'anime, n'en suis-je pas redevable, pour une part, à l'énergie de l'orgueil, à l'inspiration qui m'inonde de sécurité et de forces insoupçonnées ? « L'instinct de protection est un instinct de puissance », écrit Pascal. On ne saurait en douter. Une spirituelle et fraternelle amie prit le parti, au cours de ma vie difficile, de moins me plaindre, comme pourtant il seyait, que d'exalter les facultés qu'elle me connaissait. Un jour, où, repoussant la mortelle fatigue, je puisais en moi une vigueur que je dépensais aussitôt sans réserve, elle me regarda parler, bondir, aiguillonner l'espace, et, satisfaite, elle s'écria en riant : « Quel athlète ! Quel chanteur ! Quel général !... »

***

Au début d'une année scolaire, j'avais six ans, ma mère me dit tendrement :

« Je viens de recevoir une lettre de Mme Leroy (la directrice du cours de solfège) ; elle a été contente de vous (par une habitude anglaise, ma mère ne nous tutoyait pas, mais nous tutoyions mon père et elle). Vous passerez dans un cours nouveau, plus avancé, alors que vos petits camarades répéteront les mêmes études. Vous, ce sera autre chose. »

Autre chose, du nouveau, l'inconnu, plus le même ! J'eus une vision vertigineuse de la transfiguration du monde. Où allais-je donc me trouver ? Depuis un an, on me conduisait avec mon frère et ma sœur chez Mme Leroy, au second étage d'un immeuble obscur de la rue Caumartin, où la replète et trottinante maîtresse d'harmonie, assistée de Mlle Cécile, alerte et bienveillante, de Mlle Juliette, sévère bien que coquette, nous terrorisait et nous émerveillait par une science musicale hermétique, par une familiarité solidement établie avec la clé de *fa* et les clés *d'ut*. Le trajet de l'avenue Hoche à la rue Caumartin bouleversait chaque fois notre gouvernante, inquiète d'un itinéraire compliqué où figurait, hasardeux, difficile à joindre et souvent « complet », le tramway de la rue Taitbout. Souvenir d'instants brusqués et sans charme, qu'avaient soudain illuminés les paroles de ma mère ! Je ne l'interrogeai pas davantage sur l'annonce qu'elle m'avait faite, je savourais un plaisir au long écho ; je remarquai seulement que la leçon à laquelle j'assisterais était indiquée pour cinq heures et non plus pour trois heures, comme l'année précédente. J'allais donc entrer dans un cours nouveau, pénétrer dans quelque chose d'inouï – ascension due à mes mérites, au sort favorable, et j'avais six ans ! Dans le tramway qui parcourait le boulevard Haussmann pour s'arrêter à la rue Taitbout, je rêvais, enivrée. J'aimais le tramway, son rythme grinçant et heurté, sa voûte de cabine de navire, coloriée d'affiches, et je savais que se poseraient sur moi des regards souriants, tandis que me parviendrait un murmure où je discernais toujours ces mots : « Quels grands yeux ! »

Je songeais aussi qu'à l'issue du cours de solfège j'irais, dans une pâtisserie du passage du Havre, acheter un croissant, à l'heure où les lycéens de Condorcet y passent en groupes turbulents parmi les courants d'air des portes glissantes, vigoureusement poussées et rejetées. Je savais que, parfois, ils laisseraient tomber sur moi une observation galante, qui faisait naître en mon cœur un bouillonnant plaisir.

J'attendais donc avec impatience mon entrée au nouveau cours de solfège. Quelles ne furent pas ma stupeur, mon incrédulité, ma détresse, suffocante en sa résignation, lorsque je vis que l'on me conduisait exactement dans la même pièce du local habituel et à la place même que j'occupais quelques mois auparavant ! Comment ! le nouveau n'était pas du nouveau ? On pouvait entendre de grandes personnes loyales comme ma mère dire : « Ce ne sera pas comme l'année dernière » et se retrouver au même endroit, frustrée de la magie du changement ? En dépit de toute promesse, j'étais bien sur le banc de cuir étroit et long qu'il fallait soulever et rabattre pour s'y glisser, devant la table commune garnie de reps grenat, qui m'avait ennuyée, désolée, pendant toutes les classes de l'année précédente ? Où donc étaient la merveille, l'aventure espérée ? Hélas ! nulle modification ! L'étendue et l'espace étaient-ils donc si indigents qu'ils ne pussent pas m'offrir autre chose que cette morne continuité ? L'étonnement et la déception que je ressentis éveillèrent en moi, d'une manière subite, réfléchie, le sentiment de l'atmosphère et de l'étourdissant Cosmos. Jusqu'à ce jour, j'avais appartenu par le printemps de l'avenue Hoche, par les étés jubilants d'Amphion, à la nature terrestre, à sa prodigalité, à son ciel amical : prairies d'en haut, coupole tutélaire que je croyais arrondie avec tendresse sur la famille humaine ; voûte énigmatique dont la solennité m'avait parfois, la nuit, inquiétée, mais qui d'habitude ne m'intriguait pas plus qu'une pelouse indigo, fleurie de jasmins diamantés. Désormais, j'appartenais aussi à l'étendue, à l'éther, à l'illimité, dont on m'avait promis une portion infime, que l'on ne m'avait pas donnée. L'infini, que je méditai soudain anxieusement dans l'étroit appartement fumeux de la rue Caumartin, vint chercher la petite fille lésée, l'entraîna dans son domaine aérien, où l'esprit, orné d'ailes, gorgé de liberté, n'accorderait plus au séjour terrestre la valeur que les humains dupés lui confèrent, si l'amour et le malheur ne rendaient au limon primitif ses pouvoirs de plaisir créateur et de pensif déchirement.

CHAPITRE VII

Octobre au bord du lac Léman. – La mort de mon père. – Protocole funéraire. – M. Dessus et la consolation. – Quand nous ont quittés ceux que nous aimions… – M. Caro et les « Carolines ». – Diplomates à table. – Grandeur et misère des réceptions. – Vivre et mourir.

Un jour vient où le malheur entre dans la maison. Nous étions de très petits enfants, heureux à Amphion, en octobre. Ce mois de cristal est le plus beau qui soit au bord du lac Léman. L'été finissant traîne ses caresses ensoleillées sur les prairies encore en fleur et qui soupirent de satisfaction. Les rayons plus vifs du matin amollissent l'onde en sa profondeur jusqu'à tenir oppressée et immobile la vive et preste truite. Les oiseaux, pris de vertige, tournoient sans discernement, dans une confusion bleuâtre, se trompent d'élément, pénètrent les vagues, d'où ils rejaillissent, si bien qu'on croit voir une hirondelle qui nage ou une ablette ailée. En ces matins d'octobre, l'absence de baigneurs rendait à la navigation industrieuse les bateliers tous enrôlés, en été, dans le service des sources ou du port mouvementé d'Évian-les-Bains. Des voiliers chargés de graviers, larges barques aux ailes croisées et bien ouvertes, dessinaient sur l'horizon, divisé par la ligne des montagnes, d'un bleu accentué, la forme d'un ange parcourant les flots. Les balcons et les terrasses des villas empiétant sur l'espace semblaient aider l'homme à conquérir un peu plus de cet azur qui le tente, et paraît le guider vers le bonheur. Octobre, c'est le moment de la fenaison ; l'odeur du foin fauché qui jonchait les plaines et les coteaux était si dense, que, par une confusion des sens, cette vaste senteur semblait verte. Les cloches des troupeaux, que les sommets neigeux rendaient aux pâturages de la rive, emplissaient l'air d'un angélus pastoral. À l'heure du crépuscule, la troupe invisible des génies de l'air déployait avec plus d'empressement que ne le font les marchands d'Orient le tapis du soleil déclinant, qui dorait jusqu'à la couche secrète de l'onde.

L'intérieur de notre maison, les boiseries du vestibule, des escaliers et du salon, les tentures fleuries de bouquets tramés dans le chanvre, le piano verni où jouait ma mère, s'imprégnaient d'humidité combattue par des feux de bois, où éclataient en étincelles les vigoureuses pommes de pin ramassées sur les pelouses du jardin ventilé. Dans ces moments où l'asile humain lutte contre le turbulent automne, je compris pourquoi la demeure peut, en dépit de son aspect de tutélaire prison, rappeler si fortement la nature et en dispenser les baumes. Elle est née de l'arbre et conserve jusque dans ses humbles revêtements, réduits à nous rendre service, la moelle, l'essence, les fibres et la résine des forêts. De là ce parfum secret et insistant des logis, aussi radieux à l'odorat que la couleur l'est au regard. Si parfaites de transparence, de pureté, de bonheur sans inquiets désirs furent de telles journées de Savoie qu'elles devaient me servir de modèle définitif pour la figure du monde, selon mon choix.

Mon père, dissimulant sous un robuste entrain le regret que lui causait la séparation d'avec son jardin triomphal et d'avec sa famille, était rentré à Paris afin de conduire mon frère aîné, âgé de neuf ans, au collège. Ma mère, entourée de convives familiers, continuait de mener sa vie habituelle enveloppée de musique, soucieuse de visites à rendre aux châtelains du lac. Les uns étaient possesseurs de rudes bâtisses ayant la prétention d'avoir abrité les ducs de Savoie ou saint François de Sales, les autres se montraient vaniteux d'un manoir modeste où les blasons arrogants de la noblesse provinciale déroulaient de la cimaise aux poutres du plafond des chimères dardant une langue de feu. Habitations toutes exquises par le lierre, le buis géant, les vignes, les plates-bandes de calcéolaires et de bégonias, l'ombrage des noyers et des châtaigniers indifférents à la sécheresse casanière de l'arbre généalogique.

Soudain, la nouvelle d'une maladie subite de mon père se répandit dans notre maison. L'alarme, à la manière d'une rumeur assourdie, d'une anxiété brouillée et indéchiffrable, parvenait jusqu'à ma sœur et à moi. Les télégrammes, en ce temps-là peu rapides, arrivaient par le facteur, d'Évian à notre villa d'Amphion.

Nos hôtes de l'été, qui occupaient la demeure, s'ingéniaient, nous le devinions en surprenant leurs conversations accompagnées de gestes emportés et négatifs, à rassurer ma mère. Ils lui tenaient ces ignorants propos dont le but est d'embarrasser et de contredire la révélation progressive de la vérité. L'annonce inquiétante faite à ma mère et à son entourage par les messages expédiés de Paris semblait se maintenir fièrement à leur hauteur, ne descendre que lentement et par lambeaux jusqu'aux petites filles placées au bas de la vie commençante. Cependant, d'heure en heure, la gravité du mal qui terrassait mon père augmentait. On nous abandonnait à notre curiosité triste, à nos suppositions sans paroles. La vie quotidienne de l'enfant, quand ne survient aucun événement, est parfois chose si morose, que le remuement causé par l'angoisse circulant dans la demeure pose devant son esprit une interrogation, un inconnu, et, j'ose le dire, une sorte d'espoir désespéré de changement qui l'agite, sans qu'il puisse définir son trouble. Oui, si le vent vif venu de loin, chargé de nouvelles angoissantes, était soudain retombé ; si le télégraphe, aux communications aériennes, rassuré enfin, s'était tu ; si le calme s'était rétabli trop vite, apportant la ponctualité inexorable des leçons, des repas, du coucher, j'eusse ressenti une déception, que l'âme, dans son besoin de surprises et d'aventures, redoute. Ce sentiment fugitif me traversait confusément, sans faire partie de moi-même, tandis que les gouvernantes, préoccupées et parlant à voix basse, nous laissaient user de la balançoire, allégeant notre sort des habituelles réprimandes, dont l'absence, cette fois, éveillait notre défiance. On nous apprit brusquement que notre mère partait le soir même pour Paris, l'état de santé de mon père s'étant aggravé. La maison se vida de ses hôtes ; les femmes de chambre nous éloignaient du corridor en émoi, afin de transporter en hâte et librement, jusqu'aux casiers étalés des malles, les toilettes, la lingerie, tout le contenu des nombreuses armoires. Prête pour le départ, notre mère, au visage soudain immobile et consterné, ne nous fit pas d'adieux. Enfin, nous nous trouvâmes à l'heure du dîner, ma sœur et moi, dans une salle à manger froide, qu'on ne prit pas la peine d'éclairer suffisamment, et entourées de serviteurs sans contrainte, lesquels amenaient à leur suite, autour de nous, bien qu'à distance, les bateliers, les jardiniers de notre propriété sans surveillance. En un instant, nous fûmes assises à la table trop grande, seules, l'une en face de l'autre, à la place qu'occupaient nos parents. Ascension immédiate et poignante des petits êtres qui, tout à coup, succèdent, dans un espace désertique, à ceux qui dominaient, commandaient et protégeaient ! Au cours de ces réminiscences, je songe à la phrase poignante que Michelet nous rapporte de Luther. Revenant d'assister aux obsèques de son père, le violent réformateur se laissa tomber, silencieux et accablé, sur un siège où ses amis, anxieux, s'empressèrent autour de sa farouche détresse. Il les écarta de sa personne, scruta longtemps du regard ce gouffre invisible où s'était engloutie sa chair initiale, et, bien que dans la force de son âge, il prononça ces paroles amères, fit retentir cette plainte d'orphelin que plus rien derrière soi ne surplombe ni n'étaye : « Désormais, c'est moi le vieux Luther ! » Dois-je rapporter tous les propos innocents et cruels qui, pareils à des flèches lancées par des sauvages, transpercèrent mon esprit, dans cette salle à manger où les serviteurs et leurs camarades du jardin et du bateau nous plaignaient et nous accablaient sous une pitié sans choix ? Je veux, si dur que soit pour moi ce souvenir, rappeler le moment stupéfiant où j'entendis le maître d'hôtel dire à la femme de charge, avec un respect profond et pieux, mêlé pourtant du sentiment que son service habituel continuait : « Il faut emballer et expédier immédiatement l'habit du prince, le gilet et la cravate blanche. » Comment eussé-je compris que ces paroles inouïes, qui évoquaient les dîners chez les barons de Rothschild, d'où nos parents nous rapportaient de menus bibelots en confiserie ; l'inauguration des régates sur le lac d'Évian ; un gala de tableaux vivants où je fus déguisée en minuscule Égyptienne, cependant que ma mère, imitant Cléopâtre, dirigeait vers son cœur un serpent de papier, annonçaient la mort de mon père ? Pouvais-je concevoir que le corps sans souffle allait pour la dernière fois, et pour toujours, revêtir ce strict vêtement, au contraste éclatant de noir et de blancheur brillante, sur lequel s'était détachée, appuyée à lui, gracieuse, nerveuse, filiale, ma mère en robe de bal, que l'on nous avait accordé de voir dans son vaste cabinet de toilette de Paris ? À ces moments, mon père, un de ses yeux de myope irisé par le monocle, inspectait minutieusement, avant le départ pour le succès, les atours de sa belle épouse, qui me parut féerique, un certain soir, enveloppée dans un tourbillon de tulle rouge, ayant sur une de ses épaules au pur contour deux noires hirondelles agrafées.

Les enfants sont de trop dans le malheur ; les adultes, convaincus de l'indifférence de l'enfance et agités par tous les pénibles devoirs qui leur incombent, bousculent les petits corps, les refoulent sur leur passage, ne savent où les mettre et de quelle manière, momentanément, s'en défaire.

Lorsque ma sœur et moi nous débarquâmes à Paris, après une nuit passée assises dans un wagon suffocant et comble, où l'on nous avait admises par compassion, nous fûmes d'abord conduites rue de Varenne, dans l'hôtel d'une cousine de ma mère, la princesse Gortchakow, absente de sa superbe demeure. Présente, elle nous eût si fort effrayées par une sorte de brutale désinvolture russe, apprise à son foyer conjugal de Saint-Pétersbourg (plus tard abandonnée par elle pour des rêveries musicales, archéologiques), que toutes nos pensées eussent été accaparées par la crainte de son apparition. Mais la demeure était déserte et silencieuse.

Les timides interrogations que nous posions à nos gouvernantes ne provoquaient pas de réponses ; sans décisions à prendre, elles transportaient les valises, les ouvraient, les refermaient, s'employaient à l'inutile. Vers midi, des serviteurs étrangers drapèrent habilement, d'une nappe, la table en marqueterie d'un des salons et apportèrent des plats nombreux qui participaient à mes yeux du mauvais songe au fond duquel nous étions précipitées lamentablement. Privées de direction, nous errâmes, ma sœur et moi, dans des chambres luxueuses, tapissées de satin bleu, de satin blanc, où les lits, à notre grand étonnement, portaient des enveloppements de mousseline qui les protégeaient contre les moustiques entretenus par un étang, dont le noble aspect composait une des beautés du jardin renommé de la rue de Varenne. Ce dépaysement dans l'aube froide d'octobre, le deuil, incertain encore, que nous sentions planer sur nous et auquel faisait allusion, avec pitié et maladresse, un garçon d'office venu de l'avenue Hoche pour aider à notre éphémère installation, puis à notre retour auprès de notre mère, me firent connaître l'horreur d'une situation qui inquiétait et offensait tous les sens. Et pourtant l'on ne nous reconnaissait pas même le droit d'enregistrer la vie et de nous plaindre. Enfin, nous fûmes replacées le soir de ce jour cruel dans un omnibus de gare, joyeux quelques mois auparavant, quand il nous emportait munies d'instruments de jardinage, de filets à papillons, de boîtes de botanique vers la gare de Lyon. J'eus la vision de ce voyage d'été, des stations aimées d'Ambérieu, de Culoz, de Thonon-les-Bains, apparition bénie du lac ! Pendant le parcours de la rue de Varenne à l'avenue Hoche, la gouvernante, la bonne, le garçon d'office, absorbés par une épuisante métaphysique simple et vague, ne se départirent pas de leur silence. En entrant dans la pièce où ma mère se trouvait assise et comme figée, sans autre expression que celle de la stupeur et vêtue d'un noir opaque, je compris que mon père était mort. Mais je ne voulus pas le savoir. Je tins mes doigts contre mes oreilles pendant des heures, afin de ne pas entendre formuler ce que je n'ignorais plus. La puissance des mots, ce qu'ils ont d'irrévocable, l'annonce évocatrice que ne peut égaler ou dépasser que le spectacle même, qui nous fut épargné, me rendait puissamment minutieuse envers un tel événement. Les précautions que je pris toujours contre la violente intrusion des paroles dans l'esprit, je ne m'en suis pas servie pour dissimuler la douleur, pour la taire. Dire ou ne pas dire, tout le caractère des êtres et l'appui sur lequel se meuvent les événements dépendent du choix que l'on fait de l'une ou de l'autre de ces décisions. J'ai toujours préféré, quand c'était possible et ne pouvait nuire à nul être, dire un peu, ou beaucoup, ou différemment, afin de me délivrer d'une quantité de cet invisible sang spirituel par quoi l'on suffoque.

Ce qui me semble certain, c'est que la phrase de Mme de Staël : « Les grandes douleurs sont muettes » est en marge de la réalité. Le malheur avoue, se débat, raconte, clame, et je trouve parfaitement justes et émouvantes ces paroles prononcées par un être en proie à une grande souffrance dont il cherchait à exprimer l'intensité : « J'ai inventé des cris nouveaux ! »

Dans l'hôtel en deuil de l'avenue Hoche, on continuait à nous jeter de côté comme si notre présence misérable et silencieuse, notre incapacité de servir et d'apporter quelque soulagement au désespoir maternel, témoignaient d'un manque de respect ou révélaient un esprit dissipé. Les amis de ma mère ne se souciaient que d'elle. L'on paraissait nous reprocher jusqu'à notre pauvre aspect d'enfants détériorés par la catastrophe. Nous finîmes notre journée dans l'office, chez les serviteurs, et passâmes la nuit dans la chambre du cocher et de sa femme, qui nous la cédèrent. Le cœur populaire est zélé, organisateur, prodigue ; il offre ce qu'il pense devoir être désirable et réparateur ; on nous apporta une nourriture excessive, on entassa des édredons sur le lit, on fit dans la cheminée un feu qui éclaira la modeste pièce d'une sorte d'incendie heureux, mais l'âme demeura solitaire et comme blessée de tant de soins destinés au corps.

En un instant, mon père, aimé, certes, mais craint, devint l'objet de la dévotion de tous ceux qui l'avaient servi. Nous surprenions des lambeaux de conversation entre les femmes de chambre, où il était dit que nous avions tout perdu en le perdant. Ma mère, qui toujours fut indulgente, expansive, familière, riante, enfantine, semblait soudain exclue de la sympathie. On regrettait celui que l'on avait redouté. Pour ma part, je cessais de vouloir vivre, de pouvoir manger. Je ne comprenais pas bien que le destin, par un si grand trouble intérieur, voulût m'obliger à sortir d'un univers où il m'avait exigée. Je périssais confusément, comme un oiseau qui meurt. Un peu d'eau de Cologne qu'on me contraignit à respirer dans un moment où je défaillais me laissa une impression si nette d'arôme mélangé au malheur que pendant des années je conservai, à l'égard de cet allègre effluve, une aversion insurmontable. Au bout de peu de jours, un surprenant protocole funèbre, affairé, triste, alerte, s'empara de la maison. Les deux amis constants et autoritaires de la demeure, M. Dessus et le docteur Vidal, fort célèbre en son temps par de subtiles découvertes qui le désignaient comme l'animateur de l'hôpital Saint-Louis, veillaient à tout et, pareils à deux cariatides, soutenaient au-dessus de nos têtes implorantes la construction du monde, sur le point de s'écrouler. M. Dessus aimait ma sœur, le docteur Vidal m'aimait. Les petites filles inspirent aux hommes que séduit le charme de leur mère une tendresse protectrice, mais qui, en ses innocentes manifestations de préférence, satisfait un attrait vif, secret, compliqué. Peut-être voile-t-il cet ignorant appétit sensuel qui consiste à n'être rassasié de la créature premièrement désirée que par un prolongement confus de la convoitise, par un souhait d'assouvissement continuel dans la race, représentée par ses jeunes ramures. Néanmoins, le dévouement de ces deux amis de ma mère était, en ces heures funèbres, uniquement occupé d'elle et nous laissait le sentiment de notre importunité. J'ai gardé aussi, du premier deuil de mon existence, le souvenir des discussions qui s'élevaient au sujet de la densité du crêpe ; de la valeur, dans le désastre, du noir mat ou du noir de jais ; de l'audace qu'il y aurait à soulever, au cours d'une promenade furtive dans les chemins isolés du bois de Boulogne, le voile pesant et rabattu sur le visage, qui empêchait ma mère de respirer. Enfin, six mois étant révolus, les fournisseurs s'enhardirent ; de réservés qu'ils étaient, ils devinrent empressés, obséquieux, flatteurs et abordèrent la question du noir seyant. Peu à peu, le malheur, dans une certaine proportion, se convertit en grâce et coquetterie. M. Dessus, exploitant avec une opiniâtreté sincère, dictée par la foi, notre malheur, retenait la pensée de ma mère et la nôtre fixée sur les tombeaux et sur l'immortalité. Il apportait souvent à ma mère, dont il faisait ainsi jaillir les larmes, toujours prêtes à sourdre, de petits volumes, choisis chez un libraire de la rue Cassette, dans une collection qui s'était donnée pour tâche de cultiver la mélancolie, de défricher la renaissance de la vie dans l'âme et dans les corps fortifiés.

Un soir, il lui remit fièrement, comme on offre la subsistance à qui jeûne et la certitude à qui languit dans le doute, une plaquette cartonnée sur laquelle je lus ces mots : *Au ciel on se reconnaît*. De telles promesses, destinées à ma mère et non à moi, ne manquaient pourtant pas d'agiter mon cœur. Ah ! que je souhaitais la réalisation d'une si radieuse assurance ! Ce qui m'empêchait de me complaire à la lecture de ces petits livres d'un ton hautain, mais, hélas ! insouciant et léger, c'est que j'appelais de toutes mes forces un apaisement plus prompt, que les rédacteurs impérieux des consolantes écritures ne s'ingéniaient pas à procurer. Les alternatives d'espoir et de désespoir durèrent plus de deux ans. Des cérémonies funèbres, fréquemment répétées, s'opposaient à la cicatrisation de la blessure. Le deuil, pesant et prolongé, tel qu'on le conçoit en Orient et que ma mère était encline à le considérer, avait pour conseiller apaisant le docteur Vidal, mais pour zélateur M. Dessus, robuste et sensuel Corrézien, décidé à diriger les âmes vers Dieu par la douleur, qu'il ne jugeait plus nécessaire à son propre salut. Possédant la foi la plus tenace et spacieuse, ayant ainsi atteint le but, il se mettait à l'abri de toute tristesse, jouissait avec plénitude de l'existence et pensait seulement ajouter à ses mérites en guidant durement vers Dieu les esprits hésitants. Il nous faisait de grand cœur gravir un calvaire dont il ne tentait plus l'ascension, assuré qu'il était que nos efforts lui seraient bénéficiels.

***

Comment ne pas songer ici au deuil secret et dénué de tout apparat qui, plus tard, accompagne la mort de ceux de nos amis qui emportent avec eux notre vie ? Ils nous laissent gisants, sans nul autre parti à prendre que de méditer leur intolérable absence. Le vieux tricot de laine cramoisie que nous portions à l'heure des conversations tendres et familières ; aux instants de notre travail, par eux contemplé ; au cours des repas intimes, et qu'ils baisaient à l'épaule, au coude, au poignet, ne nous offre pas le divertissement de songer à le quitter ! Lorsque, chancelants, amputés d'eux, nous recommençons à faire nos premiers pas sur la terre qui nous les a dérobés et qui, en tous lieux, nous semblera funèbre, nous pouvons revêtir désormais la robe décrochée au hasard dans l'armoire ; nous pouvons poser sur nos cheveux un chapeau garni de plumes de rouge-gorge ou de pourpres camélias, sans nous préoccuper de notre aspect, qui ne nous tient plus à cœur. Les malheurs sans guérison ne se révèlent pas aux passants ni même à nos relations superficielles. Ils n'ont pas de registre dans la loge du concierge ni dans le vestibule de nos maisons ; le meurtre qu'ils ont exercé sur nous demeure notre secret et notre inépuisable savoir...

***

À partir de la mort de mon père, cessèrent, chez nous, jusqu'au moment des premiers bals pour notre présentation dans le monde, les cordiaux et plantureux déjeuners du dimanche, auxquels mon père prêtait une attention solennelle qui n'eût pas admis de négligence. Ces repas, d'une abondance que l'on a peine à se représenter aujourd'hui, me firent connaître les écrivains et les personnalités françaises les plus en vue, les hommes d'État étrangers, réputés ou craints dans leur patrie.

J'appris aussi ce qu'est l'idolâtrie en regardant, toujours entouré, M. Caro, le philosophe spiritualiste, au visage onctueux et paterne, qu'un trait trompeur de la nature avait marqué d'une lèvre finement narquoise. Aimant et aimé, M. Caro inspirait ce respect que suscite le titre officiel de penseur. Il voyait ses cours suivis par les femmes les plus belles, comme les plus étourdies ; on les avait nommées les « Carolines ». Ma mère, très attachée à M. Caro, initiée à sa facile philosophie par son livre célèbre intitulé *l'Idée de Dieu*, lui témoignait une amitié si réelle qu'elle se rendit à son chevet de mourant et, tout en larmes, nous rapporta comme un propos sublime cette phrase par laquelle il lui décrivit les affres de l'angine de poitrine : « J'ai autour du cœur comme une cuirasse de sanglots. » Pourtant, par l'absence de brigue et d'artifices, ma mère échappait à la dénomination qui englobait les « Carolines ».

La salle à manger de l'hôtel de l'avenue Hoche semblait être présidée par une vaste et précieuse tapisserie des Gobelins représentant un Assuérus redoutable, mais rose et azuré comme l'aurore sur les mers du Sud, et aux pieds de qui défaillait une pathétique Esther, nuancée comme un pâle volubilis. Le décor de cette pièce spacieuse me déplaisait par les tons heurtés de la peluche bleue des rideaux, voisinant avec des stores coulissés, d'un rouge de pavot, qu'égayait pourtant le soleil de midi. Autour de la table, je voyais se réjouir, se gorger de viandes solides, subtilement accommodées, le comte Gourowski, Polonais grisonnant, large et ventru, qui, avant le repas, me serrait paternellement sur son ample plastron. Ma robe de velours rouge garnie de dentelles d'Irlande s'épanouissait au-dessus de sa chaîne de montre à breloques, tandis qu'il me révélait un sourire de fauve dont les dents auraient connu les soins et l'or de quelque dentiste de la jungle. Dans l'ombre de ce géant se dessinait en sombre découpure un Hongrois au bref visage, couturé par des duels galants ou politiques ; un Italien renommé, bien que suspect, spécialisé dans l'astuce, que lui-même signalait ingénument, et dont la finesse et la ruse trop vantées devenaient à son insu une leste bonhomie aux francs aveux. J'étais intriguée par le ministre de Hollande à Paris, personnage gourmé et taciturne, qui portait le titre inusité de « chevalier ». L'ambassade de Russie nous était comme naturellement délivrée le dimanche, par le court trajet qui reliait l'église russe, située rue Daru, à l'avenue Hoche.

Nous assistions presque toujours à la cérémonie religieuse orthodoxe et rentrions chez nous avec les conseillers et attachés : MM. de Kotzebue, de Friedrichs, Narichkine, de Giers. Je remarquai, dès ce moment, qu'un ambassadeur et son entourage sont une nation en voyage, qui fait halte, selon les ordres de son gouvernement, en telle ou telle ville, où ils impriment, par leur apparence, leurs vocalises, leurs usages imperceptiblement, mais profondément différents des nôtres, l'image de leur race tout entière. J'ai vu des femmes slaves, décoratives ou fascinantes, évoquer mystérieusement pour moi un visage de vieux bouc à favoris et à monocle, tel qu'apparaissait le baron de Mohrenheim ou s'apparenter, par la silhouette, à un svelte comte balte.

Les diplomates, en fonction ou en retraite, étaient assurés du plus grand succès auprès de ma mère. Élevée à Londres dans l'érudition, les minuties et les scrupules des préséances, elle se plaisait à ne pas commettre d'erreur et assignait sans se tromper, à chacun de ces fonctionnaires altiers et susceptibles, la place à laquelle il avait droit. Ma mère ne dédaignait pas les distributions exactes des honneurs, non qu'elle leur accordât une valeur positive ou qu'elle mît quelque croyance en les vanités – la musique, la poésie, la beauté, une religion sans pesanteur, évangélique et sereine, l'avaient vouée au culte d'un Bach, d'un Mozart, eussent-ils été chemineaux –, mais parce qu'elle recherchait en ses actions la justesse et la perfection. Nous l'entendîmes parfois citer avec force le livre de la Pairie, qui faisait loi en Angleterre et à l'ambassade de Londres, de la même manière dont elle eût nativement, et par hérédité, soutenu les dialogues où s'impose la logique de Socrate.

Mon père, lui, avait pour les réunions fastueuses autour de sa table, ainsi que pour l'accueil qu'il faisait à ses hôtes d'Amphion, une inclination qui tenait du digne amour du décor, d'une sorte d'éloquence dans l'organisation, à quoi se mêlait le besoin de voir croître autour de soi le bonheur dispensé par sa puissance. Je ne pourrais affirmer qu'une ancestrale habitude de commandement, une réminiscence des palais et des parcs d'Orient, le souvenir des réceptions et des calèches de Napoléon III ne s'épanouissaient pas en lui dans les moments où ses efforts aboutissaient à un agréable triomphe. Bien que j'éprouvasse fugitivement une fiévreuse fierté à regarder mon père se réjouir de ses réussites opulentes, mon plaisir cessait et faisait place au plus vif chagrin lorsque je voyais ma mère s'infliger, pendant la semaine, l'obligation de visites à faire, en série compacte et épuisante. À peine le déjeuner terminé, elle revêtait ces toilettes absurdes, spirituelles et despotiques, qui comprimaient la créature de toutes parts. Depuis le pied, étreint dans des chaussures boutonnées haut, jusqu'à la main engourdie dans le gant étroit qui ramassait la paume et la faisait bomber entre deux boutons de nacre, et à la voilette mouchetant le visage d'un semis chenillé ou de minimes grains d'acier, tout était recherche galante et insensée.

Ma mère se rendait, ainsi parée, au « jour » des personnes avec qui elle était en relations. Le « jour » ! fétichisme inimaginable et, en ce temps, formalité d'un code indiscuté. On allait révérencieusement au « jour » d'une Napoléonide, princesse impériale, mais non avec plus d'empressement qu'à celui de Mme Dubois, née Camille O'Méara, jadis élève aimée de Chopin, chère à tous les musiciens, et qui, à son « jour » modeste, mais noblement fréquenté, offrait des macarons savoureux soudés à un mince papier, qu'accompagnait un thé pâle, versé dans des tasses de Chine modiques, récemment déballées et arrachées aux copeaux d'un arrivage d'Extrême-Orient.

Au cours de telles réunions, auxquelles ma mère m'emmenait parfois, je me promis de ne jamais me mêler, plus tard, à ces rencontres conventionnelles compliquées de souvenirs politiques ou coloniaux. J'avais trop sincèrement souffert d'impatience au « jour » de Mme Gavini de Campile ou de Mlle Olga de La Grenée : l'une, ancienne préfète du second Empire, l'autre, sœur vaniteuse d'un explorateur mort, au loin, de la fièvre jaune. Je compris que j'étais venue au monde pour une tâche ample et rude, qui n'autorise pas les stériles loisirs et, par rapide discernement, me les montrait dénués de séduction. Le puissant et opiniâtre travail qui agissait en moi pour maintenir et développer le germe individuel, parallèlement à une amitié humaine si prodigue qu'elle eût pu m'anéantir en faveur d'autrui, composa le drame confus de mes plus jeunes années. La mission que je sentais m'avoir été confiée par le destin m'enjoignait de persévérer, lorsque passaient sur mon cœur les heures sombres ; de ne point fléchir ; de m'acharner. Et, en même temps, s'établissaient en moi ce profond grief contre la vie, cette hostilité envahissante et résolue, ce reproche réfléchi qui me faisait soupirer souvent, dans la langue allemande de mes gouvernantes, cet *Ich möchte sterben* (je voudrais mourir !) qu'un soir, à vingt ans, heureuse et orgueilleuse au bord d'une loge, j'entendis, à ma première audition de *Tristan*, jaillir de la gorge, soudain divine, du célèbre ténor Van Dyck, ange énorme, tout éclatant du génie de Wagner. Vivre et mourir, revivre davantage, mourir sur l'altitude, tel fut le vœu de mon enfance. « Les Grecs utilisent la mort », lit-on dans un des Cahiers de Barrès. Combien est juste pour moi cette affirmation ! Toutes les forces subconscientes, loyales et rusées de mon être se sont appliquées à construire une vie qui, par ses réalisations, son obédience à je ne sais quoi de céleste, permît la mort auguste, fût-elle obscure et sans témoins.

Dans mes très jeunes ans, pendant nos jeux sur une prairie au bord du lac, je me souviens d'avoir raconté à mon frère et à ma sœur ce que serait mon destin. Prophétie mélancolique, où j'eus, par visions éblouissantes ou orageuses, la divination du plus beau et du pire. Image redoutable, dont j'acceptai tout ; certitude de constance, de hardiesse, d'usure fructueuse, qui se mêlait à ma douleur d'humble enfant, mais qui me faisait regarder avec stupeur la gouvernante brutale qui me réprimandait. « Se peut-il, songeais-je tristement, qu'elle offense en moi ce qu'il faudra bien que je devienne et que je sois ? » Quelle différence y avait-il entre la petite fille sage et distraitement grondée et la future adolescente qui, par inclination et assiduité, voulut tout posséder et tout donner ? Aucune. Les gouvernantes, un jour, disparurent ; le sort prit leur place. Il maltraita autant qu'il l'avait comblée la créature puissante et faible ; il la maintint au-dessus des naufrages où elle apparut ainsi qu'une Ophélie combative, sauvant ses fleurs et dont la voix toujours s'élève. Il lui accorda d'espérer que soit vraiment exacte cette ultime promesse : « Les Grecs utilisent la mort... »

CHAPITRE VIII

Mon amour de la foule. – Déjeuners dominicaux. – Désirs d'enfant. – Le corset et les liqueurs. – La silhouette. – L'embonpoint des sylphides. – De l'église russe à la chapelle espagnole. – Lucide mélancolie. – La promesse du Bosphore.

Le luxe amical et prodigue dans lequel, petite fille, je voyais mes parents et leur entourage se mouvoir développait rapidement chez moi, par l'observation et par de subites tristesses, le goût de la méditation, des groupements familiaux, des repas pris dans l'intimité. Non pas que devraient m'abandonner le plaisir et la vigueur que me communiquèrent toujours les foules. J'ai aimé et j'aime l'agora. L'affluence humaine a pour moi un seul visage, un seul cœur, qu'il s'agit d'atteindre, de forcer, de convaincre. Attraction de la multitude, circulation sanguine étendue et unifiée, débats et triomphes sur le forum, moi, si souvent l'amie du silence, de la torpeur rêveuse et de la mort, je ne cesserai de vous louer et de me complaire à vos fêtes tumultueuses et fécondes ! Aussi, ai-je souvent pu rassurer des amis qui s'excusaient du nombre de leurs convives, dont ils craignaient que je ne fusse importunée, par ce sincère aveu : « Je n'aime pas jouer devant des banquettes vides. »

Probablement, dans mon enfance, étais-je incommodée, en ces dimanches cérémonieux que je viens de décrire, par la hâte qui nous précipitait hors de l'église russe dans le salon et la salle à manger où éclatait la joie bruyante de nos hôtes : vieux écoliers à l'heure de la récréation et qui subodoraient la fin du jeûne. Épanchements émouvants, mais non sans niaiseries, de collègues qui échangeaient des poignées de main heureuses et se félicitaient mutuellement de se rencontrer. J'étais stupéfaite du rire aux nombreux échos suscité par des conversations dont je ne discernais ni le divertissement ni le droit à l'hilarité. Confuse de l'intérêt que j'inspirais à quelques-uns de ces ogres dont la main distraite s'abattait sur la mienne, l'engloutissait et la tenait captive, je souhaitais être invisible. Parfois, imbue de la certitude que ma personne ténue, au bout d'une table si grande, disparaissait, je me repliais sur les mets qui, pendant près de deux heures, circulaient, et je me gorgeais imprudemment d'aliments dont me plaisaient l'aspect, l'arôme et la saveur.

Non seulement l'enfant aime manger et la succulence inspire ses facultés imaginatives, mais tout ce qui le séduit dans la vie, par tous les sens, il le voudrait porter à ses lèvres et l'absorber. Quel enfant n'a souhaité boire l'eau de pluie, déguster la neige, mordre les bourgeons où repose, âcre, entassé, chiffonné, l'avenir de la rose, broyer la châtaigne incomestible, lutter contre l'écorce qui enferme d'étroits univers, la meurtrir et la vaincre ? Ce désir de happer, cette jouissance gustative, la sournoise satisfaction de dissimuler en soi ce que l'on convoite et de s'en rendre propriétaire est certainement la formule de tout désir.

Néanmoins, ce sont bien des souvenirs sans joie que m'ont laissés les réunions insouciantes et gloutonnes du dimanche, où, vers la fin du repas, le teint délicat de ma mère se colorait de vif carmin, comme si l'évaporation des bordeaux et des bourgognes avait embué son beau visage et fait d'elle, par traîtrise, une bacchante novice et décente. Assemblées dont je ne concevais pas la nécessité, mais intéressantes, si j'y songe, où des hommes aux joues pourprées, aux cheveux drus, aux corps alourdis mais résistants, ou bien secs et onduleux, révélaient toute l'énergie physique d'une époque à la fois laborieuse et futile.

Les hommes, attachés à leurs charges ; les femmes, à leurs devoirs de maîtresse de maison, qui comportaient des allures de coquettes provocantes, plus souvent chastes, ne cédaient pas à la mélancolie, au ménagement de soi, au souci de leur préservation. Époque où brillait, chez tous ces gens affairés, galants, voraces et repus, les vertus incorporelles.

Hommes et femmes auraient pu réclamer, en faveur de leur brillant courage, le témoignage de tortures et de délices également ennemies de la nature : le corset et les liqueurs. Mon enfance s'écoula dans un paysage humain où les gorges et les croupes féminines, livrées à la pression du corset, que ces innocentes croyaient apte à résorber ce qu'il ne faisait que répartir curieusement, n'entravaient ni les élans, ni les gestes intrépides, ni la candide sécurité de l'âme dans l'amour.

J'ai vu des corps féminins débordant de proéminences se hisser légèrement, et dès l'heure matinale, sur le marchepied des breaks, s'installer, l'ombrelle à la main, sur d'étroites banquettes, heureux d'entreprendre, dans un bruit de grelots dont résonnaient le postillon et les chevaux harnachés, l'ascension de quelque colline abrupte recélant un monastère au parfum de plâtre et d'abandon. Là, on vénérait le chapeau de saint François de Sales, le prie-Dieu de sainte Chantal. Je les ai vues, ces femmes espiègles et rebondies, enfourcher des ânes, choisis robustes, et s'amuser des ruades provoquant un nuage de poussière. Je les ai surprises à l'aurore, se baignant dans le lac angélique et transparent, hymne d'azur qu'elles dérangeaient et brouillaient en s'y élançant sous le pudique costume de bain, bleu marine, orné d'une ancre brodée en fil blanc. J'ai vu, le soir, ces déesses volumineuses, sanglées dans le satin, les cheveux ceints d'une couronne de lierre ou de jasmins, chanter, aussitôt après le repas copieux, des mélodies accortes ou voluptueuses de Verdi, de Gounod, de Saint-Saëns. Amenée par surprise, grâce à nos bonnes, que la musique séduisait, jusqu'à la porte vitrée du hall où, sur une mousse veloutée, s'élevaient des palmiers sur qui serpentaient de précieuses orchidées, je vis ces sylphides énormes danser au son des valses de Strauss. Elles tourbillonnaient avec la finesse de la neige silencieuse, leurs appas incrustés dans l'habit noir d'un danseur fringant et musclé, au rythme du *Beau Danube bleu*. Je les voyais enjouées aussi, et sentimentales, sous le regard triomphateur de leurs cavaliers, qui, vigoureux et de cœur militaire, chevauchaient la vie, ses plaisirs, ses obstacles, comme une monture capricieuse que la bravoure de ces hommes entraînés était toujours prête à dompter, ce qui leur donnait une tenue d'esprit, si l'on peut dire, équestre.

Les beautés célébrées dans mon enfance, pour qui délirait un Maupassant, se tuait d'une balle au cœur un gentilhomme cosaque, étaient des îles charnues, dont le visage, aux traits délicats, les mains dodues, pareilles à de blanches palombes, nous apparaîtraient aujourd'hui comme des bijoux victimes d'un maléfice qui les préserverait de toute concupiscence.

Mais aussi la nourriture, considérée en ce temps-là comme salutaire, honnête et valeureuse, les vins, les cigares, les alcools entretenaient chez les hommes, avec la hardiesse et l'élégant libertinage, un sentiment de l'honneur dans l'amour, qui faisait d'eux des amants courtois et sûrs, dévoués à leurs conquêtes féminines comme un officier l'est à son épée.

Il est curieux de songer que le mot « silhouette » est à peu près absent du vocabulaire de l'époque. Des membres déliés, un visage gracile étonnaient et déconcertaient. La ravissante Mlle Van Zandt, cantatrice nordique qu'accompagnait sa robuste mère et que je connus au bord du lac quand j'avais cinq ans, était, par son charme fragile, le sujet de toutes les conversations. On l'aimait poétiquement, on la plaignit avec une particulière ardeur lorsqu'elle dut interrompre définitivement ses représentations à l'Opéra-Comique, où, un soir, elle apparut chancelante dans *Lakmé*, ayant absorbé, comme à son ordinaire, d'incalculables coupes de champagne, qui, cette fois-là, eurent raison de sa résistance diaphane et dorée.

L'embonpoint des femmes, glorifié par l'adoration de leurs amants, n'éveillait les propos satiriques que si le corps épanoui s'était désigné à l'attention par quelque singularité de l'esprit. C'est ainsi que j'entendis de légers sarcasmes dirigés vers les formes excessives de deux personnes dont les torts n'étaient point dans leur aspect, mais consistaient à n'avoir pas craint d'afficher des opinions voyantes : l'une dans la violence, l'autre dans la vertu rehaussée de solennité ecclésiastique. En effet, Mlle Marianne Swistinoff, aimable Russe révolutionnaire, se réclamait du nihilisme, et la chanoinesse de Faudoas, vieille fille infatuée de son ascendance nobiliaire, avait obtenu, par des intrigues romaines, le titre religieux qui l'autorisait à porter en tout temps, sur ses vêtements, une large croix en diamants, qui soulevait, par son étrangeté dans les réunions mondaines, une réprobation unanime.

Nos déjeuners du dimanche étaient, je l'ai dit, précédés d'une station à l'église russe ; la fumée des encensoirs y était dense et comme épicée ; elle me touchait moins que celle que je respirais les jours de la semaine à la chapelle mi-espagnole et mi-anglaise de l'avenue Hoche, étroite église sévère où nos bonnes et nos gouvernantes catholiques retrouvaient leurs collègues et parlaient à voix basse, mais d'abondance, au-dessus de la tête de leurs élèves hébétées. La chapelle, alvéole religieux essaimé des villes saintes d'Avila et de Tolède, plus encore que de la plaintive Irlande, avait pour règle la pauvreté. On y voyait circuler de sombres prêtres tonsurés et rasés dans un ton bleu indigo et qui portaient sur d'énergiques et pâles visages, aux yeux d'ardents picadors, les traces de la mortification.

C'est entre les murs de la chapelle ascétique que je connus la crèche de Noël, exposée en décembre et janvier. Petite scène ingénieuse, où étaient représentés, avec un mécanisme de jouet, le défilé des rois mages, le salut du bœuf et de l'âne, la palpitation de l'étoile, qu'un carillon mélancolique enveloppait d'une poésie captivante et triste. Au contraire, sous les dômes dorés de l'église orthodoxe, ayant pour chef le tsar, régnait le protocole des cours. Seul l'ambassadeur de Russie (et parfois quelque grand-duc de passage) avait devant lui une légère chaise dorée sur laquelle il s'appuyait élégamment de la main, sans jamais s'y asseoir, tant par respect pour le service religieux, les icônes pathétiques et illuminées, que par une bienséante courtoisie à l'égard de femmes et d'enfants constamment debout. Grâce aux chants séraphiques que des voix d'adolescents faisaient retentir sous l'œil menaçant d'un maître de chapelle, je supportais la fatigue d'un équilibre épuisant et j'eus le loisir de rêver, d'espérer, de désirer, à l'église russe. En ce salon de Dieu, parfumé de résine et de bergamote, toute petite fille, je fis gravement, avec réflexion et ferveur, une prière pour que Dieu m'accordât, un jour, de posséder un enfant né de moi seule ! D'où pouvait venir, chez une créature si tendre et qui, par tous les charmes de l'univers, pressentait l'amour, cet ingénu et obsédant souhait ? J'aimais les poupées, je prêtais à leur immobilité l'animation de ma propre existence ; je n'eusse pas dormi sous la chaleur d'une couverture sans qu'elles aussi fussent enveloppées de laine et de duvet. Je connaissais des moments de bonheur sans défaut dans le silence de cette unité. Je rêvais de goûter vraiment la pure solitude dédoublée. Il me semblait aussi que les hommes, dont ma mère, je l'ai raconté, me faisait gaiement l'offre matrimoniale, éveillaient le trouble et le désordre dans mon esprit. Je crus donc que j'assurais mon bonheur en implorant cet enfant identique à moi, sans intrusion d'autrui et sans mélange.

Plus tard, bien plus tard, observant la désharmonie que présentent les couples humains et découvrant en leur descendance le désarroi causé par la transmission des dons et des imperfections, j'ai pu dire que la plupart des enfants me semblaient être un divorce vivant. Ce besoin de persister intacte, d'être deux fois moi-même, je l'éprouvais avec avidité dans ma petite enfance. Ah ! que j'ai souhaité, dans les instants tragiques où ma douceur rêveuse était le jouet des injurieuses bonnes, avoir à mes côtés une autre petite Anna qui jetterait ses bras autour de mon cou, qui me consolerait, me comprendrait, soutiendrait le cœur et l'orgueil si fréquemment blessé et abaissé des petits êtres ! Cette pauvre enfant compatissante, toute pareille à ce que j'étais, dont j'ai tant appelé la compagnie, s'est en effet, un jour, révélée à moi. Au cours de la vie, je la rencontrai en mon cœur et je la retins fortement ; elle me secourut, non sous la forme de la consolation que j'avais espérée, mais sous celle du courage, le seul bien que le sort puisse déposer dans un des plateaux de sa prodigue mais inique balance.

***

La mort de mon père, en me séparant de cette vie de réceptions et de faste où une sorte de philosophie heureuse s'apparentait, d'une manière noble, aux orchestrations et aux quadrilles étourdissants d'Offenbach, me laissait languissante, et j'eus une peine extrême à continuer d'exister. Je vivais dans une mélancolie que ma mère approuvait d'un regard profond et tendre et pour laquelle m'estimaient nos amis, veillant à la réparation de la déchirure familiale. L'amour, comme la dignité, avait été offensé en moi par la mort de mon père. Aux Champs-Élysées, où l'on nous menait dans l'espérance de « grand air » et dont je ne sus jamais goûter les petits théâtres de Guignol, la voiture aux chèvres, les boutiques bariolées par leurs bâtons de sucre d'orge vert et rouge, que surveillaient des matrones délurées – misérable copie du bonheur –, je cessai bientôt de vouloir me mêler aux autres enfants.

« Pourquoi êtes-vous habillée en noir ? » m'avait demandé, un jour, une petite fille robustement installée dans des vêtements clairs et gais. Le questionnaire des enfants adressé à d'autres enfants est toujours celui d'un soupçonneux investigateur, d'un sévère policier. Elle insistait. Je dus avouer que j'avais perdu mon père. « Moi, j'ai mon père et ma mère », répondit avec orgueil et confort la petite fille à qui rien ne manquait dans l'ordre social du cœur. Je vis bien que je lui apparaissais comme une créature appauvrie par son deuil, participant d'un foyer négligent et sans prudence, d'où on laissait s'évader ce que la demeure possède de plus humainement solide : le père. Le père, régime et gouvernement du foyer, obstacle à l'invasion, réponse au défi et garantie superbe contre les peurs chimériques ou le réel danger, constitué en ce temps-là par l'incendie et les chevaux emballés. Ma mère, soumise au hasard qui distribue dès la naissance les inquiétudes, ne fut pas hantée par l'incendie, mais elle ne cessa jamais de l'être par les chevaux emballés. Bien longtemps, dans ma vie, je fus entraînée par elle, à chacune de nos promenades à pied, dans les taillis bordant les routes, tant elle croyait qu'une voiture qu'elle apercevait au loin nous menaçait par son correct ou chétif coursier. Jeunes filles, nous ne montâmes jamais dans notre landau attelé des magnifiques chevaux Balthazar et Pluton, sans demander à Dieu de nous garder du péril dans lequel nous nous étions engagées.

Les mois passaient. Souffrante, je trouvais indiscernablement dans la douleur physique, subie avec courage, et comme biffée par l'esprit, une diversion à l'oppressante nostalgie que j'avais de la présence de mon père. Je n'oubliais pas que lui, le premier, me fit écrire ces narrations qu'il lisait à haute voix dans le salon d'Amphion, éveillant ainsi ma destinée. Ma mère s'était montrée aussi charmée que lui à la lecture de ces récits puérils, mais elle craignait pour moi la fatigue. Je dois confesser que la phrase coutumière : « Cette enfant est trop intelligente pour vivre… » qui, bien entendu, ne pouvait être prononcée par mes parents, mais qui était lancée distraitement par mes bonnes, m'emplissait d'une terreur que je n'hésitais pas à croire justifiée. Je dirigeais alors vers la fenêtre de ma chambre du chalet d'Amphion, qui offrait le spectacle du ciel et du jardin heureux, un regard tout empli du désir de ne leur point dire adieu.

Néanmoins, malgré la tristesse, le temps qui s'écoulait amenait ses diversions et ses projets. Par un enchaînement de souvenirs et de rêveries, ma mère, privée désormais de son compagnon inventif et dominateur, souhaita revoir son père, qui habitait un palais de marbre bleu à Arnaout-Keuï, sur le Bosphore, dans les environs de Constantinople. Le Bosphore ! – phosphore, phosphorescence… toutes ces syllabes lumineuses, soudain, m'éblouirent, m'envahirent, ne me laissèrent plus de repos. Désormais, je ne songeais qu'à ce départ vers le Bosphore. Je me préoccupais, sans me laisser distraire de mon plaisir par les dédains de ma sœur, enfant farouche et taciturne, des robes que l'on nous avait commandées pour notre séjour en Orient. Je les voyais étalées sur le sofa du petit salon de ma mère, qui les faisait approuver par nos amis et par nos tantes. Toilettes enfantines, noires mais luisantes et à reflets : en *cora*, mot ravissant qui, aujourd'hui, s'appelle pongé ; en *surah merveilleux*, devenu crêpe satin ; en popeline, en sicilienne, en ottoman, enfin en alpaga, vision et vocable qui faisaient bondir mon cœur par ses étincellements de fil verni et léger. Aujourd'hui encore, l'alpaga évoque pour moi les délicieuses et pénibles chaleurs du plein été, ces journées où la créature, mêlée à l'atmosphère, ne redoutant plus ses rigueurs, se familiarise avec elle et, comme les plantes, fait avec elle de confiants échanges. Chapeaux nombreux aussi, en paille d'Italie ou en paille de riz, inclinés sur les yeux comme un auvent délicat, ou hardiment relevés sur le front par un panache de plumes pareil à ceux qui décoraient les coiffures des héros de l'an II.

***

Il est dans le destin de l'homme d'être soumis à toutes les variations brusques. Fils dédaigné de la nature, il est précipité du plaisir et de la quiétude dans la douleur, traîné cahotant sur la route, arraché à toutes ses racines, conduit jusqu'au bord de l'abîme, puis replacé tout à coup dans un éphémère et rassurant paradis. Nous avions souffert misérablement jusqu'à être désaccoutumées de nous-mêmes et, soudain, la promesse du Bosphore fit renaître chez moi l'instinct du printemps, de la poésie, le délectable désir de plaire.

À qui voulais-je plaire ? Au Bosphore. Il y a, chez les petites filles passionnées, deux formes songeuses de l'amour : l'une pour un être, et je l'avais éprouvée déjà douloureusement au contact du rapide et négligent baiser d'Alexis, le jeune batelier d'Amphion-la-Rive, ainsi que pour un petit M. de Lesseps, âgé de treize ans, qui suivait avec nous les cours de gymnastique du pittoresque Espagnol, M. Lopez, rue du Colisée. Je l'avais ressentie pour le consul britannique à Genève, ivrogne roide, énigmatique et respecté ; pour un condisciple de mon frère, au lycée Janson, dont je ne connaissais pourtant que le nom : Roger Després, syllabes délicieuses ; pour le très jeune comte Hoyos, rose autrichienne, entrevu à une première leçon d'équitation. Enfin, j'avais été séduite par l'image de Roland à Roncevaux que me présentait un beau livre reçu en cadeau le jour de l'An et que l'on me permettait de conserver le soir sous mon oreiller. L'autre amour qui m'envahissait s'adressait aux paysages, aux cités inconnues, à l'espace, à l'espérance, à l'aventure. J'avais aimé, de cette manière, le bateau à vapeur le *Rhône*, qui faisait le service d'Évian à Genève et sur lequel j'avais été embarquée, un matin d'été, dans une odeur stimulante de goudron, d'huile, de soleil et de vent.

L'indicible plaisir que m'avait dispensé la robuste allure du bateau le *Rhône* faisant jaillir à ses côtés une eau écumeuse, je le retrouvai, vague et puissant, dans la passion qui naissait en moi pour le Bosphore. Ah ! s'il n'y avait pas eu un seul petit garçon sur la terre, si la nouvelle m'avait été annoncée que le monde ne serait peuplé désormais que de petites filles, je n'eusse certes pas souhaité voir se lever le soleil du lendemain ; mes robes m'eussent inspiré l'indifférence, je n'aurais pas été heureuse à bord du *Rhône*, je n'eusse pas désiré le Bosphore ! Mais, laissant s'estomper dans mon cœur l'image des humaines amours enfantines, je souhaitais réellement séduire l'espace et plaire au Bosphore lui-même…

CHAPITRE IX

Valses viennoises. – Le plat national. – Constantinople. – Le sérail du sultan. – Sous la moustiquaire. – Les cancans d'Arnaout-Keuï. – Les admirations littéraires de l'oncle Paul. – À la porte de Victor Hugo.

Un soir de juillet, nous partîmes pour Constantinople ; une halte devait nous retenir à Vienne, une autre à Bucarest. Ma mère se faisait accompagner de la sœur aînée de mon père, d'un secrétaire ou, en ce temps, intendant, du nom de M. Dejean, sorte de vigoureux notaire limousin, au poil dru et gris, à la voix râpeuse, dont les formes épaisses étaient confortablement modelées par des vêtements usagés ; de notre gouvernante allemande, d'une femme de chambre et d'une quantité prodigieuse de malles. Les mots « excédent de bagages », dont je ne comprenais pas bien le sens et qui amenaient des réprimandes de la part de ma tante et des récriminations du personnel des gares, frappèrent mes oreilles jusqu'à notre arrivée dans l'antique Byzance. Appelés par l'Orient et craignant d'y arriver tard, alors que nous y étions attendus, nous restâmes à Vienne moins d'une semaine.

Ma mère, épanouie dans sa beauté claire aux yeux couleur d'abeille, aux cheveux châtains que les toilettes noires mettaient en valeur comme un sombre feuillage relève le ton des pétales, prit un vif plaisir à parcourir la ville célèbre pour sa grâce. On nous emmena dans les restaurants renommés où le *schnitzel* fameux, dont on nous démontrait l'apprêt inimitable, me causa la déception de n'être tout de même qu'une escalope de veau. Les magasins, papillotants de multiples et menus objets, enchantaient ma mère, qui nous rapportait de ses courses onéreuses, dont elle ne perdit jamais l'habitude, ces bibelots viennois de jadis, d'un mauvais goût poétique si prisé : par exemple, une rose en porcelaine, soigneusement coloriée, contenait au centre de la fleur un petit flacon empli de son parfum. Installée à l'hôtel Zacher, ma première impression de ce séjour fut la surprise que me causa mon lit, d'où ne cessait de glisser une couverture de soie piquée, sur laquelle était rabattu, par des boutonnières attachées à des boutons de nacre, un drap de toile festonné. Les Viennois, au temps de mon voyage, s'étendaient sur un mince matelas, puis allongeaient sur eux cette étroite courtepointe dont ils se satisfaisaient, si instable pourtant que je passais mes nuits à la ramasser, à la replacer sur moi.

Un lit fait ou défait en France évoque la netteté moelleuse, ou bien la paresse, le désordre, la volupté ; mais à Vienne, lorsque, petite fille, je m'y arrêtai, le lit était une élégante planche à repos, qui ne pouvait suggérer que l'image d'un consciencieux sommeil.

Je m'étais réjouie à la pensée de voir le *Prater*, longue étendue de bocages, qui est à Vienne ce qu'est à Paris le bois de Boulogne. Ayant, dès le commencement de ma vie, entendu ma mère jouer les valses de Johann Strauss, le *Prater*, leur domaine, me semblait un lieu d'enchantement. Je connaissais si bien le moment où ma mère, ayant fait jaillir du clavier les sanglots et les arcs-en-ciel de Beethoven, les spirituelles mathématiques de Mozart, l'architecture de Bach, enfin tout ce que Chopin contient de rêveuse, héroïque et sensuelle hypocondrie, se reposait de la musique magistrale en installant sur le pupitre du piano un cahier des valses de Strauss. J'aimais ces feuillets légers, illustrés d'un gai dessin en grisaille, où l'encre d'imprimerie débordait généreusement des silhouettes enlacées, et qui portaient les titres de *Wiener Blätter, Wein, Weib und Gesang, Man lebt nur einmal,* – cent appellations d'un charme qui envahissait la mémoire ! Par leurs trois temps inégaux, leurs deux élans accélérés, leur moment de suspension langoureuse, les valses viennoises venaient avec élégance provoquer la romanesque passion. Ce rythme de l'attente et de l'abandon précipitait le souffle, l'arrêtait, prêtait au rêve innocent de l'enfance la suffocation du plaisir. Nous allions donc connaître le *Prater* ! Mais, comme nous étions entassés en trop grand nombre dans un landau découvert, et attristés par la solitude que la saison d'été faisait peser sur la capitale et ses environs sylvestres, je n'eus des parcs et forêts réputés qu'une impression de mélancolie. Le vent chaud de juillet faisait déjà voler et tomber à terre des feuilles grillées, roussies, cependant qu'un grêle orchestre attaché à un cabaret rustique consentait à donner leur vol à quelques phrases musicales, que les tziganes distribuaient avec négligence dans une atmosphère cuisante et déserte.

Le voyage se poursuivant, nous arrivâmes à Bucarest, après avoir vu, par les fenêtres du wagon, de petits enfants bruns, entièrement nus, qui nous faisaient rougir et baisser les yeux, lorsque, souriant, ils tendaient vers le train lentement en marche des branches de cerisiers aux feuilles fanées, aux fruits vifs. Nous craignîmes de nous trouver dans un pays où la pudeur n'est point en usage.

Je connus à peine Bucarest, étant tombée malade et privée cruellement de la visite faite par mon frère et ma sœur au parc de Cismejiu, que son lac rendait célèbre. Un lac ! Pour moi, quel mot, quelle vision ! L'eau, élément rêveur, allègre, palpable, assimilable, miroir du ciel, chemin des indolents voyages, m'enivrait et, par le jardin et le lac d'Amphion, me plongeait dans les songes. « Il y a des jours qui sont des îles… », écrivait dans un volume de sa jeunesse Maurice Barrès ; cette phrase évoque des instants de vie paisible, voluptueuse, à l'abri de toute menace, protégés par la tiédeur, la solitude et le silence. Mais autour de ces îles heureuses, je n'eusse pas voulu la mer, inquiétante en son infinité, et que, malgré sa fertile senteur, respirée, un été, sur les bords de la Manche, je n'aimais pas. Mais les îles ! Les îles, c'étaient pour moi les rives d'un jardin en fleur devant lequel l'eau paisible, limitée par un horizon délicat, étend des promesses de bonheur, cependant que d'invisibles sirènes veillent à la sécurité d'un couple refermé sur lui-même.

En arrivant à Bucarest, j'avais été surprise de l'allure des attelages, pareils, me dit-on, à ceux de la Russie. Des cochers endiablés, chevelus, barbus, soulevaient le galop de leurs chevaux dans des cerceaux de poussière, comme ils le faisaient en hiver dans les tourbillons de la neige.

Un matin, on me conduisit, bien faible encore et vêtue du noir le plus sévère, au service funèbre, plein d'emphase, qui fut célébré à la mémoire de mon père, dans l'église dorée de Domna-Balasha. Le protocole de la douleur, sur ce sol étranger à ma vie, où pourtant allait rester à jamais mon père endormi, devait nous rejeter dans l'abîme. Au milieu des tentures violettes et argentées, des prières et des lamentations des prêtres, nous sentîmes notre blessure se rouvrir et nos larmes intarissables se répandirent, comme issues d'artères et de veines tranchées. Au sortir de l'église, le calme lentement se refaisait. Je regardais une ville à peu près semblable à une autre, plus coloriée, sur laquelle régnaient un climat et un parfum de l'air étrange que je divisais sans m'en imprégner, et dont le vocabulaire, inscrit sur les bâtiments et les magasins, m'était inconnu.

Pendant notre court séjour à Bucarest, nous habitâmes d'abord l'hôtel qui communiquait avec le somptueux restaurant Capsa et puis la maison champêtre de ma tante Élise à « La Chaussée », aujourd'hui propriété de mon frère. Je vis, parmi des arbres nombreux et légers qui offraient en pâture au soleil leurs feuillages grésillants, un sapin vert, persévérant et solennel, qui rêvait en ce coin du monde comme j'en avais vu rêver dans tous les lieux de la terre où j'avais passé. Le sapin, le cèdre, l'araucaria, par leur aspect méditatif, leur vigueur paisible et noble, ont sans cesse retenu mon attention ; je vénère en eux les mages au cœur conscient du monde végétal.

La tante Élise nous annonça un matin que nous ferions connaissance, au repas de midi, avec le plat national, la *mamaliga* ; ces seuls mots, « le plat national », avaient sur mon imagination une puissance étrangement évocatrice. Ils me dispensaient avec force le pouvoir d'espérer. Qu'attendais-je de ces vocables ? Sans doute, je me le dis aujourd'hui, un résumé de tout le pittoresque d'une contrée et d'une nation ignorées, la révélation du charme même d'un peuple et de son sol, une amitié plus intime encore que celle décrite par Flaubert dans cette phrase fameuse : « Il est des paysages si beaux qu'on voudrait les serrer contre son cœur… » Le plat national frappa toujours ma pensée autant qu'un nom de fleuve attaché à sa ville : Rome et le Tibre, Vérone et l'Adige, Madrid et le Mançanarez, Londres et la Tamise, tous ces poétiques hyménées, je les retrouvais mystérieusement dans la saveur de l'aliment populaire. C'est par les fleuves accédant aux mers, par les denrées lointaines aisément dispensées que l'Angleterre, la Hollande touchent aux Indes, que Brême s'accote à Venise, que le Nord reçoit au cœur une flèche torride, entend les cris brûlants des perroquets bariolés, manie l'ivoire et les brocatelles, perçoit l'arôme d'un palétuvier. Mais, au déjeuner vanté par la tante Élise, je fus déçue et chagrinée : la *mamaliga*, plat national, n'était qu'une rude farine de maïs sableuse, difficile à ingérer, que ne parvenaient pas à rendre agréable les condiments inusités qu'on s'était ingénié à y joindre. Probablement, l'imagination sérieuse de l'enfant ne se trompe-t-elle guère, et ce mets sans finesse qui contente le paysan

en le rassasiant aurait-il dû me révéler les durs travaux d'une multitude d'humains laborieux et résignés qui, de l'aube à la nuit, usent
leurs forces contre la terre et, au sortir du silencieux acharnement,
lui sont reconnaissants de la nourriture sommaire qu'elle leur accorde, lui rendent grâces en des chants candides, contemplatifs et
fiévreux.

Notre arrivée à Constantinople fut, par son respect, ses extases,
paradoxalement celle des chrétiens débarquant en Terre sainte. Ma
mère nous avait appelés sur le pont du bateau dès qu'on lui avait
signalé, à l'aurore, la vue du port immense de Galata. Par les souvenirs que lui avait laissés son voyage de noces, où le sultan l'avait
comblée d'honneurs, ma mère, si fière de son sang crétois qu'elle
en appelait aux filles de Minos à la moindre discussion avec son
entourage, s'assurant ainsi le triomphe de la raison, restait attachée
à la cité fabuleuse que gouvernait Abdul-Hamid. Ce souverain séduisant, ennuyé et cruel, l'avait charmée par l'ascendant gracieux
qu'elle exerçait sur lui. Il avait fait fléchir devant elle les rigueurs
observées au sérail et l'avait présentée aux sultanes, dépouillées de
leur voile légendaire.

Ma mère nous racontait avec émotion cette journée passée dans
un décor qu'elle nommait féerique, parmi des femmes asiatiques,
aux visages ronds, enfantins, mollement busqués, telles que Kayam
et Saâdi les dépeignent quand ils les comparent à la tulipe, à la lune
d'été, à un miroir d'argent. Devant ces princesses et ces esclaves
ravissantes, vêtues, par courtoisie, à l'européenne, maladroitement
enfermées dans des robes de satin broché, venu sans doute de Lyon
et de Paris, ma mère donna un concert auquel le sultan se montra
sensible. Pour la remercier, il lui offrit un diadème éclatant, parure
incommode que, dans mon enfance, je la vis porter avec orgueil,
mais en soupirant. Ce jour du Sultan fut marqué aussi par le don
de la décoration la plus rare, que mon père obligeait ma mère à
produire dans les fêtes parisiennes, soit qu'elle fût nouée à son cou
parmi les perles ou fixée en sautoir au corsage ; le large ruban de
moire blanche bordé de vermillon, qui retenait le pesant insigne,
troublait ma mère, laquelle n'aimait pas exhiber l'exceptionnel
et le fantasque. C'est de cette époque que date la possession du
châle précieux dont j'ai parlé ; nappe immense de cachemire blanc,
qu'envahissaient en bordure les algues multicolores de la broderie

la plus minutieuse. Lorsque, tant d'années plus tard, Abdul-Hamid dut abdiquer et qu'il acheva ses jours dans la peur des poignards et des poisons, au fond d'un palais que cernaient l'injure et la menace, ma mère, fidèle, célébrait opiniâtrement la courtoisie et les vertus de l'homme qu'elle avait conquis par la beauté et la musique. Je me souviens de l'avoir entendue, un jour d'hiver, réclamer impérieusement, mais à voix basse – car, assaillie par les polémiques, elle ne savait plus s'il lui fallait mépriser ce qu'elle vénérait encore –, « le châle du pauvre sultan » !

L'éclat du ciel turc et du blanc village d'Arnaout-Keuï, où s'élevait le palais de mon grand-père, ne me fut révélé qu'à travers une grave maladie qui me retint couchée sous la moustiquaire du lit placé dans l'immense salon dénudé, qu'occupaient aussi mon frère, ma sœur et notre gouvernante allemande.

Une copie agréable de *la Vierge à la Chaise*, de Raphaël, dans un cadre doré suspendu sur la muraille peinte d'un lait de chaux bistré, répandait sa grâce parfaite et câline sur la vaste pièce qu'ornait seulement le luxe d'un grand sopha en soie orientale, jaune et grenat. Les fenêtres, disposées au sud et à l'ouest, offraient, les unes la vue du Bosphore et des villages estompés de la rive d'Asie, les autres, pareilles à un regard plus sombre et plus modeste, se coloraient du vert foncé des sycomores, des figuiers, des cyprès décorant un petit jardin qui s'élançait d'un trait sinueux sur des coteaux abrupts.

Dans cette chambre spacieuse, je souffris beaucoup. Le séjour en Turquie avait gravement attaqué ma santé ; la nourriture y était désirable et nocive. Dans l'extrême ennui d'une vie oisive et bavarde, la satisfaction qu'inspiraient des aliments séduisants rencontrait chez chacun une appétence déréglée. Il n'était question que de cuisine, de digestion, d'indigestion, de dysenterie, de fièvre typhoïde. Les plus chanceux, les plus vigoureux d'entre les convives, guérissaient grâce à quelques journées de jeûne ; d'autres se voyaient terrassés par la qualité et l'abondance des pilafs aux pois chiches, des moules géantes, des dolmas : boulettes de riz farcies de chair de mouton et présentées dans des feuilles de vigne ; des aubergines gorgées d'huile, des pastèques glaciales.

Parmi les victimes, je fus de beaucoup la plus atteinte. Il y eut une grande agitation autour de la petite fille qu'un danger mortel menaçait. Mon grand-père et mes oncles, en robe de chambre à cordelière ou en redingote correcte de coupe étrange, il est vrai, appelée à Péra *stambouline*, et invariablement coiffés d'un fez, faisaient irruption dans la chambre. Leurs voix mêlées s'emportaient contre le mauvais sort qui m'avait vaincue et dépensaient les forces oratoires qu'on connaît aux héros d'Homère. À travers ma faiblesse je les entendais lire et commenter le dictionnaire médical, dont les insensibles décrets, se rapportant aux symptômes que présentait mon état, me condamnaient au trépas.

Cette turbulence cordiale de ma famille, naturelle à des caractères impulsifs et communicatifs, chagrinait ma pudeur éveillée, frappait mon esprit observateur et désintéressé de moi.

J'aspirais simplement à moins de souffrance et j'absorbais docilement, mais avec incrédulité, des compotes de cornouilles, fruits écarlates aigres et astringents, considérés à Arnaout-Keuï comme le remède triomphal contre toute fièvre indéterminée.

Rien n'était plus difficile que d'obtenir la visite du célèbre docteur Zambako, ancien élève des hôpitaux de Paris, que se disputaient, à toutes les stations du Bosphore, les Turcs, les Grecs, les hôtels, les ambassades. Celle plus aisée du docteur Apostalidès, qui habitait le proche village de Bébek, n'inspirait pas confiance et se compliquait des étrangetés de cet esprit puéril. Fier d'un uniforme militaire, éclatant et fantaisiste, il s'aperçut, une nuit où, appelé en hâte à mon chevet, il s'y rendit, qu'il avait oublié de suspendre à son côté l'épée qui complétait son habillement. Non seulement il s'en excusa longuement auprès de ma mère, mais renonça avec brusquerie à me donner le moindre soin et retourna dans les ténèbres à Bébek, offrant de revenir en tenue martiale irréprochable, proposition qui fut déclinée.

Cependant que mon grand-père, érudit silencieux, travaillait sans répit, dans la fraîche bibliothèque de son palais de marbre, à l'achèvement d'une remarquable traduction de *la Divine Comédie* dans le grec difficile et pur de saint Grégoire de Nazianze, son second fils, mon oncle Paul Musurus, poète et peintre, inoccupé, dépaysé, chargé d'électricité intellectuelle et cruellement arraché à ses clubs de Londres, à ses cercles artistiques de Paris, venait me rapporter ce que l'on appelait les « cancans d'Arnaout-Keuï ».

Je pressentais sa venue en l'entendant de loin rendre la justice avec un pittoresque du meilleur aloi parmi une nombreuse domesti-cité grecque et turque, qui se chamaillait dans les cuisines en un français barbare et limité, et jetait des cris de chats blessés. Par-dessus la terrasse dorée de soleil, bleuie de glycines, qui dominait le Bosphore, je percevais ces scènes et discussions auxquelles le goût amusé de mon oncle conférait un aspect de petit théâtre po-pulaire. Et puis il errait inquiet, toujours bien-disant, de chambre en chambre, à la poursuite des scorpions qu'il craignait comme il affirmait tout craindre, y compris la disparition capricieuse et dé-finitive du soleil. Il avait, disait-il, le courage de sa lâcheté. Enfin, il venait s'asseoir auprès de mon lit, où, ne dédaignant pas mon petit âge, il prenait plaisir à m'exposer les drames qui éclataient dans la demeure voisine de la nôtre, vaste bâtisse de bois moisi, meublée de divans, abri d'une dizaine de jeunes femmes ravissantes : Eriphyle, Cassandre, Smaragda, Aspasie, Euphrosine, Catina, Thémis, Espérance, Marika, d'autres encore. Ces merveilles, hélas sans dot ! ces irisations vivantes, ces roses, se fanaient, ravagées par la solitude familiale, dans un royaume presque exclusivement féminin.

La plupart d'entre elles, non mariées, n'avaient pour but que de plaire à un homme qu'elles enchaîneraient, dont elles feraient leur époux. Les circonstances leur refusaient avec persistance cette juste convoitise. Pareilles toutes à Mme Bovary, modèle sans omis-sion, elles rêvaient, s'irritaient, languissaient dans un nuage de dé-sirs où se colorait la vision de villes insoupçonnées, de voyages romanesques, de plaisirs paresseux ou trépidants – mélange de variation perpétuelle et d'éternité.

Qu'un seul homme s'arrêtât quelques instants à Arnaout-Keuï, fût-il secrètement (et elles le savaient) le compagnon obèse, sou-mis et inattaquable de quelque sultane ; ou le conservateur vieilli d'un musée de Péra, que son intelligence faisait valoir ; ou encore un de ces jeunes cousins, voyageur tout occupé d'une actrice oc-cidentale, on voyait, dès le départ de ces porteurs d'illusions, les beaux visages féminins rougis, gonflés de larmes, accablés par le désenchantement. Elles dépérissaient, s'alitaient, cessaient de man-ger, et, soucieuses pourtant, par amour-propre, de ne pas confier leur déception, faisaient savoir par une vieille servante dévouée fanatiquement à chacune d'elles, que seul un malaise digestif les obligeait à un repos prolongé.

L'oncle Paul me tenait au courant des projets d'union cent fois espérés, différés, abolis, et sa conversation chatoyante, ses remarques divertissantes et taquines, dépeignaient narquoisement les tragédies de la vie juvénile se déchirant aux barreaux d'une inique prison. Par lui, j'apprenais aussi que M. Dejean, le solide bourgeois grisonnant qui jetait sur les rivages du Bosphore un regard sans surprise, tant il restait fidèle au Limousin et n'admettait aucune rivalité avec Uzerche, Tulle, Brive-la-Gaillarde, avait fait son choix platonique dans le parterre de fleurs que représentaient les jolies filles de notre famille. Content du jeu de mots que lui fournissait sa prédilection, il ne cessait de répéter avec une grandiloquence satisfaite : « Je me suis livré pieds et poings liés à Thémis… » La charmante Thémis, brune accorte aux yeux d'antilope, fière d'une gorge et de jambes parfaites, unanimement vantées par sa famille, vierge robuste qu'on eût choisie pour être l'héroïne d'une églogue radieuse, riait de ce triomphe négligeable, sans toutefois le dédaigner absolument.

J'eusse été bien malheureuse dans le palais d'Arnaout-Keuï, si mon oncle Paul ne s'était appliqué à me faire apprendre par cœur les poèmes dont il était hanté. Disciple de l'école dite parnassienne, ébloui par ce qu'il appelait « la facture », correspondant de revues que patronnait Leconte de Lisle, il me récitait et commentait lentement, jusqu'à ce que je les eusse apprises par cœur, les strophes d'un sonnet célèbre de Théophile Gautier qui résumait pour lui l'inspiration et les prouesses qu'il exigeait d'une œuvre poétique. Description exacte, haute en couleur, adoucie par d'habiles transitions, s'élevant soudain à la pensée philosophique traduite par l'image. L'élancement final, d'une « facture » irréprochable, voilà ce qui jetait l'oncle Paul dans l'émerveillement.

Triste et malade, éloignée de toute distraction, immobile dans mon lit drapé d'une moustiquaire, ne recevant que le jour triste filtré par les sombres sycomores que dispensaient les fenêtres de l'ouest non voilées contre le soleil, je m'appliquais à retenir les vers qui m'étaient proposés en exemple irréfutable. Le piano de ma mère emplissait à nos côtés, du tumulte de l'harmonie, l'étendue d'un salon vaste comme une route que des lustres énormes et nombreux divisaient au plafond ainsi que des bornes étincelantes.

L'oncle Paul, sérieux, patient, recueilli, détaillait le sonnet vénéré et, dévotement, en prière autant que lui-même, je répétais après lui, surveillée par son regard attentif :

Sur le Guadalquivir, en sortant de Séville,
Quand l'œil à l'horizon se tourne avec regret,
Les dômes, les clochers, font comme une forêt ;
À chaque tour de roue, il surgit une aiguille.

D'abord la Giralda, dont l'ange d'or scintille,
Rose dans le ciel bleu, darde son minaret ;
La cathédrale énorme à son tour apparaît
Par-dessus les maisons, qui vont à sa cheville.

De près, l'on n'aperçoit que des fragments d'arceaux ;
Un pignon biscornu, l'angle d'un mur maussade
Cache la flèche ouvrée et la riche façade.

Grands hommes, obstrués et masqués par les sots,
Comme les hautes tours sur les toits de la ville,
De loin vos fronts grandis montent dans l'air tranquille !

Comment décrirai-je l'émotion respectueuse ressentie au dernier tercet, quand l'oncle Paul me faisait remarquer que l'esprit s'arrachait à l'orfèvrerie du verbe pour atteindre un juste infini ! Ainsi, j'habitais un palais sur le Bosphore ; autour de moi croissaient les arbres et les fleurs que l'imagination situe au paradis ; j'entendais nommer par des sonorités ravissantes les plus beaux paysages qu'offrait l'horizon ; on me désignait au loin, sur la rive d'Asie, les vergers de Beylerbey, où avait joué, adolescente, la mère d'André Chénier, et, pourtant, au cours de leçons poétiques qui me transportaient, je détournais ma pensée du présent, je me penchais vers l'Espagne, je me réfugiais sur les bords du Guadalquivir, je rêvais à la Giralda, tant il est exact que la joie, ainsi que l'écrit d'Annunzio, est toujours sur l'autre rive !

J'ai aimé dans mon enfance le sonnet cher à l'oncle Paul avec cette réjouissance d'une âme insatiable qui se disait : « Voici donc, tout ensemble, la musique, la peinture, les paysages reflétés par l'esprit ; l'épanchement du cœur ; et, pour terminer, les mouvements aisés de l'intelligence énonçant une vérité ingénieuse et pathétique ! La poésie est, sans aucun doute, l'art spacieux et dominateur dans lequel tous les autres se confondent ! »

Depuis cette initiation, et dès mes premiers essais, j'ai parlé un langage où ne restaient plus entières la certitude et la foi puisées dans les enseignements de l'oncle Paul. Sans modèle, sans guide, seule avec la Nature, je l'ai contemplée, j'ai écouté son appel et ses confidences ; je me suis abandonnée à elle et je l'ai attirée sur mon cœur. Cette union passionnée m'inspira une harmonie hardie et neuve, soutenue par la tradition et les réminiscences, mais qui ne recueillait les conseils d'aucune école et ne voulut reproduire que ce qui est vif et frémissant.

J'ai insisté sur la malchance qui troubla mon été du Bosphore et me le rendit cruel. Si, plus tard, j'ai pu chanter avec amour les rives orientales de l'Europe et la rive d'Asie que je ne connus qu'enfant, malade et mélancolique, c'est que j'oubliai toutes les souffrances que j'avais endurées pour ne me souvenir que de quelques plaisirs et de quelques étonnements. Parmi eux, mon voyage en caïque, flèche légère soulevée par les flots, qui nous porta aux jardins luxueux des Eaux-Douces, où je pénétrais dans un pavillon de faïence et d'or, inhabité et prêt, semblait-il, à recevoir la visite du bonheur ; les brèves promenades du soir, pendant ma convalescence, au village de Bébek, que le soleil couchant opprimait de ses puissantes lueurs abaissées, cependant que, par groupes, rôdaient les habitants de notre demeure, occupés aux secrets et aux délations amoureuses. Je gardais fidèlement l'image de l'amitié dont m'entourait ma cousine Irène, jeune fille romanesque déjà en âge d'être coquette et de poursuivre le songe obsédant du mariage, et qui, néanmoins, choisissait de s'asseoir auprès de mon lit et de tenir ma main d'enfant malheureuse ; enfin, une visite au grand bazar de Constantinople m'avait arrachée au sentiment de toute contrée. Dans les dédales de cette cité des soies, des nacres, des bijoux, des tabacs et des armes, le sévère Théodore Baltazzi, Grec romantique et chevaleresque, qui me traitait en dame, très petite mais digne des mêmes égards, m'offrit une quantité d'écharpes en gaze de Brousse. On révérait cet imposant Don Quichotte de l'honneur hellénique, homme silencieux, absorbé rêveusement par les révolutions et les guerres de l'Indépendance, par la figure héroïque de Kanaris, que Hugo ressuscite en ces vers de magnifique couleur :

Mais il te reste, ô Grec ! ton ciel bleu, ta mer bleue,
Tes grands aigles qui font d'un coup d'aile une lieue,
Ton soleil toujours pur dans toutes les saisons,
La sereine beauté des tièdes horizons,
Ta langue harmonieuse, ineffable, amollie,
Que le temps a mêlée aux langues d'Italie
Comme aux flots de Baia la vague de Samos ;
Langue d'Homère où Dante a jeté quelques mots !
Il te reste, trésor du grand homme candide,
Ton long fusil sculpté, ton yatagan splendide,
Tes larges caleçons de toile, tes caftans
De velours rouge et d'or, aux coudes éclatants !...

Mais, surtout, j'avais été intéressée par mon oncle Paul, qui m'avait instruite et divertie au cours des longues journées torpides. Je ne m'étais pas lassée de l'entendre me narrer l'aventure à laquelle il devait de n'avoir pas contemplé en face son dieu, son flambeau, son allégresse perpétuelle : Victor Hugo. Ayant, à l'occasion des quatre-vingts ans de Hugo, adressé au vieillard sublime un sonnet, qui, parmi des milliers d'envois poétiques, avait paru le meilleur à Auguste Vacquerie et à Paul Meurice, qui présidaient au dépouillement du scrutin lyrique, mon oncle était venu à Paris dans la seule intention de déposer sa gratitude aux pieds de son idole. Au moment de sonner à la porte du plus grand des poètes, mon oncle, scrupuleux, nerveux, hésitant, épouvanté, se demanda soudain s'il dirait correctement à la servante : « Monsieur Victor Hugo est-il chez lui ? » ou bien, avec la vénération familière réservée à l'exceptionnel : « Victor Hugo est-il chez lui ? » Ne pouvant résoudre la question, se décider pour la formule de la civilité coutumière ou pour celle de l'adoration, mon oncle s'enfuit, terrorisé d'amour, dès qu'il entendit des pas dans l'escalier de l'hôtel exigu de l'avenue d'Eylau et qu'il put craindre de voir s'ouvrir la porte du temple modeste, où logeaient, par la puissance du génie, les sommets et les gouffres.

CHAPITRE X

À bord de l'Aurora. *– Notre gouvernante allemande. – Correspondance avec l'Orient. – Mme Colin, maîtresse de français. – De Chateaubriand à Émile Zola. – La musique et la poésie.*

Notre départ d'Arnaout-Keuï fut fixé pour le début d'octobre ; ma mère échangeait avec son père des adieux que chacun d'eux devinait sans retour. Cette tristesse non formulée, jointe à l'affairement que procuraient une vingtaine de malles entrouvertes, ne me laisse qu'un souvenir confus. Je retrouve des images exactes en revoyant dans ma mémoire toute notre famille, mon grand-père excepté, se dirigeant vers le port de Galata où était amarré seul et sous pression, dépensant la vapeur, la fumée et la flamme, le bateau destiné à notre rapatriement : l'*Aurora*. C'était un pauvre bateau noir et roux que le Bosphore sertissait de ses flots du soir, pourpres et dorés. Le désordre et l'organisation du départ, recherchant un difficile équilibre, groupaient sur l'embarcadère les voyageurs soucieux de leurs bagages et les portefaix, dont l'empressement maladroit menaçait sans cesse les malles et les paquets. Afin de mieux surveiller ses nombreux colis, notre mère, aidée de notre gouvernante allemande, nous avait parqués dans une portion confortable du navire. On nous avait assis, mon frère, ma sœur et moi, au fond d'un large fauteuil d'osier empreint d'humidité saline, et des châles écossais serrés autour de nos genoux avaient donné à nos gardiennes le sentiment que nous étions entravés solidement et en sécurité. Elles retournèrent à leurs bagages, à leurs débats avec la populace turque, serviable et querelleuse. Dans un va-et-vient sans modération, notre mère, entourée de sa nombreuse famille phanariote, entraînait sur l'embarcadère et la passerelle les plus beaux visages du monde : des profils droits et délicats, des yeux finement dessinés de statue, une coloration claire et comme susceptible du visage. La douceur de la perfection grecque nous apparaissait pour la dernière fois, et notre attention s'imprégnait aussi de ces gestes romanesques, de cette grâce éternellement démodée des femmes enfantines qui ont toujours levé les yeux vers l'homme, ont vénéré sa tyrannie tutélaire et n'ont pas cherché à se mesurer contre lui. Du fond de notre prison marine, nous suivions du regard, avec une hostilité confuse, notre gouvernante allemande.

Pendant trois mois – tout notre séjour sous le ciel de l'Islam –, elle nous avait irrités chaque soir, dans le palais d'Arnaout-Keuï, par la ponctualité silencieuse qu'elle mettait à inscrire ses souvenirs et réflexions dans un cahier orné par elle, en calligraphie, du titre de *Constantinopel*. Ce mot, exact en langue allemande, était considéré sévèrement par nous, soit qu'il nous troublât par une orthographe que nous croyions défectueuse, soit qu'il nous parût l'affirmation agressive d'une race étrangère, moins bien disposée envers nous que la nôtre. Les enfants ont ainsi des torts mystérieux, issus de leur immense souhait de parenté et de tendresse. Isolés sur le pont du paquebot, tristes, oisifs et ennuyés, notre observation s'exerçait avec acuité, et il ne nous échappait pas que, dans la bagarre importante du départ, où les groupes familiaux semblaient en péril et à la recherche de leur salut, notre gouvernante, soudain, nous devenait chère. Aux côtés de notre mère anxieuse, nous la voyions, brave et habile, défendre nos intérêts, et elle perdait ainsi à nos yeux de sa singularité ; comme tous les passagers, elle n'était plus qu'une force attachée à ce qu'elle appelait les « coffres ». Sa maigreur maussade, dressée sur un squelette élégant, nous emplissait peu à peu de confiance et d'amour. L'embarcadère s'enveloppait de l'éclat violent des couleurs dégradées du crépuscule et l'humaine turbulence s'y déchaînait. Que de cris, de discussions, de débats ! Seuls les enfants, dont on n'attendait aucun effort, étaient en droit de rêver, de regretter et de souffrir.

Je posai un regard chargé de tristesse sur cet horizon dont ma famille parlait avec extase. Et, pourtant, Constantinople, Stamboul, Péra, Galata, l'île des Princes, les Eaux-Douces d'Asie, la mer de Marmara, tous ces mots enchanteurs, ces sites vantés, ne m'avaient pas rendue heureuse. Je regrettais la nette et franche Savoie, ses collines et ses vallons qui semblaient se détendre et respirer à force d'azur tiède et ventilé. Je regrettais l'herbe pétillante, peinturée de fleurs en éveil et ingénues ; les fusées épineuses des églantiers et des mûriers où s'épanouissaient en masse de blancs liserons sirupeux.

Avec nostalgie je songeais à la brusque joie des sources contra-
riées et opiniâtres qui se croisaient sur le coteau et l'enveloppaient
d'un mobile murmure, ainsi qu'au sable pâle des rivages où, le soir,
s'enlisaient les barques des pêcheurs revenant du lac. Le clair de
lune, qui semblait un clair de lune réservé à la poétique Savoie,
découvrait les routes ombreuses, les voies ferrées, que dominait
la maison rustique du garde-barrière, à qui j'enviais la compagnie
robuste et comme vigilante des tournesols.

Mais, enfant de neuf ans, j'avais, dans la beauté d'un village turc,
noué le lien des amitiés romanesques avec de jeunes tantes, des
cousines et des cousins qui m'avaient enseigné les soupirs du rêve,
fait entrevoir la vie violente où jaillissent les pleurs mystérieux, et
j'allais les quitter, voilà ce qui déchirait mon cœur ! Quand tous
les combats de l'enregistrement furent terminés, ma mère, suivie
de notre gouvernante, vint nous rejoindre sur le pont de l'*Aurora* ; nous les vîmes toutes deux écarlates, épuisées, hors d'haleine ;
nous les confondîmes dans un même sentiment de tendresse et de
reconnaissance. C'est alors que la famille aux beaux visages, qui
les avait entourées jusque-là, donna un suprême gage d'amour.
Elle descendit par les chemins étroits du port et s'installa dans des
barques légères, qui se mirent à flotter autour de notre solide bateau. Ayant quitté le large fauteuil où l'on nous avait entassés, nous
nous appuyâmes à la balustrade et aux cordages du navire. Accablés,
nous regardions ces yoles fragiles qui oscillaient au moindre mouvement des passagers, et les adieux définitifs commencèrent : paroles ultimes, recommandations, promesses, prénoms lancés et ré-
pétés d'une voix pathétique, comme si les belles syllabes grecques,
guirlandes jetées au-dessus de l'abîme des eaux, eussent eu un
pouvoir d'enchaînement. Quand l'*Aurora* leva l'ancre, ne sachant
comment ne point quitter des êtres tant aimés et de quelle manière leur témoigner mon affliction et leur transmettre ma vie, je
parvins à faire tomber, dans l'embarcadère où se trouvaient mes
préférés, mon mouchoir lourd de larmes. Ce geste de passion avait
coûté à mon sentiment de la décence, car le pont du bateau était
sillonné de voyageurs ; mais que serait l'amour qui ne vaincrait
pas l'amour-propre ? En dépit de mon vœu puissant de stabilité
éternelle, l'*Aurora* s'éloigna en bourdonnant, et lentement il quitta les rives de Galata. Nous voguions désormais. L'obscurité se fit

peu à peu dans l'espace. On nous étendit en plein air, sur de dures couchettes ; le froid progressif de la nuit aida le sommeil à s'emparer de ma détresse, qui conserva pourtant cette demi-conscience par laquelle l'esprit assoupi juge lucidement – avec désespoir mais soumission – l'étranglement, la terreur, l'excès de souffrance que le destin maintient en lui, tout en le réduisant à l'impuissance.

Après un long voyage où le débarquement sur des flots tumultueux et le wagon-restaurant des trains constituèrent les seules distractions, nous retrouvâmes notre maison de Paris. Réintégrés dans l'habitude, notre cœur ne se détachait pas des charmants Orientaux aux paupières allongées sur des regards langoureux où s'éveillaient des lueurs de stylet. Nous rêvions à leur vivace et faible existence destinée à se flétrir comme ces orchidées infinies de la Floride, qui exhalent en pure perte leur arôme vanillé et disparaissent dans le silence des nuits ainsi qu'un peuple inutilement créé.

Je portais fidèlement les amulettes des bazars turcs, que m'avaient offertes ma cousine Irène et le vénérable Théodore Baltazzi : bijoux en filigrane, piécettes en émail bleu, où le nom du sultan traçait, en traits réduits semblables à des griffes argentées, un léger vol d'hirondelles. Deux fois par semaine, nous l'avions promis, nous écrivions à ces cousines, à ces cousins aînés. Ne sachant quelles nouvelles opportunes communiquer de si loin, nous répétions les formules de l'affection incessante. Ma mère, qui corrigeait nos lettres et qui appréciait la sobriété d'expression qu'elle tenait de ses éducatrices anglaises, s'irritait de lire plusieurs fois par page : « Très chère Irène ; très chère Aspasie ; très cher Stavro. » Timides, réprimandés par elle, nous la jugions un peu dure de cœur ; mais les enfants ne savent jamais si leurs parents n'ont pas raison contre eux et, bien que ne renonçant pas à nos tendresses excessives, nous les jugions peut-être blâmables en leur exaltation.

L'hiver, qui, dans le royaume des images et des sensations, éteint des feux, en allume d'autres, colle aux vitres une atmosphère qui rend l'imagination abstinente et, par l'éclat des lampes et de l'âtre, pousse vers l'âme songeuse des rayons brûlants, nous détacha peu à peu de nos affections de l'été. La vie s'organisa sous la direction retrouvée de M. Dessus et du docteur Vidal. Nous admîmes que le sérieux eût ses agréments, son effervescence.

On avait engagé une maîtresse de français réputée pour sa culture littéraire : Mme Colin. Les preuves que j'avais données de mon amour de la poésie, ma facilité, dès mon plus petit âge, dans les narrations, attiraient sur moi l'attention de nos amis. Mais, il faut le dire, quelque bonne volonté que l'enfant mette à s'instruire, et si studieux qu'il se dispose à être, l'ennui se glisse avec le professeur dans la chambre où des petites filles sont sommées, à heure fixe, d'abandonner leurs jeux, leurs lectures, leur nonchalance, pour se plier aux exigences d'un programme rigoureusement établi. Le choix fait par Mme Colin dans les œuvres du talent ou du génie était soumis au goût de l'époque : Casimir Delavigne restait le modèle du lyrisme bienséant, et telle originalité due à un auteur dont le nom m'échappe et dont le poème portait ce titre saisissant : *Le peintre Robert perdu dans les catacombes*, offrait un vers dont Mme Colin prenait avec audace la responsabilité d'affirmer la valeur :

Il ne voit que la nuit, n'entend que le silence !

Cette image était contestée par ceux de nos amis qui se réclamaient de la raison ; j'osai affirmer mon estime envers cet alexandrin téméraire ; j'y distinguais une habile confusion qui marquait, avec indigence peut-être, une recherche d'abondance chère à mon désir d'évocations nombreuses.

Je me souviens qu'un jour torride, en 1908, errant en Sicile, je trouvai, dans le pauvre salon d'une auberge d'Agrigente, une revue saccagée par les touristes, où je lus cette phrase de Dante : « Je pénétrai en ces lieux, *muets de toute lumière…* » Cette pensée bienheureuse, signée d'un nom auguste, ne s'apparentait-elle pas au vers du modeste poète de mon enfance ? D'un mouvement du cœur, je les rapprochai, j'inclinai le front de l'humble rêveur oublié sur l'épaule secourable de Dante.

Mme Colin, dont nous respections la science et qui brillait à nos yeux en nous proposant constamment pour exemple la carrière rapide de lettré que faisait son fils Ambroise, me décevait par ses enthousiasmes austères et inébranlables. Elle vénérait comme il était juste de le faire l'œuvre de Chateaubriand ; mais, au lieu de nous conduire dans le domaine populeux et royal des *Mémoires*, vibrant

à jamais des cantiques de l'orgueil amer, elle nous dictait un chapitre d'*Atala*, où les mots « Bon sauvage ! » interjection proférée au
milieu des lianes par l'illustre René lui-même, me firent lever les
yeux et contempler, dans la ténèbre des âges, un spectacle non dénué de niaiserie ; ou bien elle nous faisait réciter les pages célèbres
intitulées « Cimodocée aux lieux infâmes ». Quoique intriguée par
le mystère dûment voilé du sujet, auquel les mots prêtaient une
somptueuse parure, ma franchise impatiente, ma passion du réel,
de l'actuel, du visible, mes vertiges d'amour devant l'éclosion, sur
le rebord de notre fenêtre, de la première jacinthe charnue et su-
crée, m'éloignaient des ouvrages exemplaires, immobiles et glacés,
pareils aux Pharaons dans leurs tombeaux d'or. L'hymne printanier du monde, je l'évoquais aux cris des jaunes canaris de M. et
de Mme Philibert, allègres sous le frais mouron qui amplifiait de
verdure le toit de leur cage. Là, dans le nid qui se préparait, j'es-
comptais la présence de petits œufs bleus de lune piquetés de noir.

Je ne tardais pas à comprendre que Mme Colin ne cesserait de
nuire à la beauté littéraire, et, désormais, je me défiai des éclaircissements qu'elle apportait aux anthologies et des apothéoses qu'elle
nous proposait. Je me réfugiai alors auprès de ma mère, qui, dans
son salon familier attenant à notre chambre, le mouchoir à la main,
versait des pleurs secrets en lisant à haute voix, pour elle-même, les
livres qui charmaient son émotive et candide sincérité. Révélation
inouïe ! ma mère, timorée, pudique et pour toujours ingénue, aimait les romans où Émile Zola s'efforçait lourdement – mais avec
une naïveté créatrice désordonnée, apte à séduire les cœurs purs
– vers la poésie. J'entendais parler pieusement de *la Faute de l'abbé Mouret* ; on me décrivait le Paradou, profusion oppressante et
insupportable d'herbages, de ramées, de végétaux et de fleurs qui
ravissait les imaginations innocentes ; on célébrait la chaste affabu-
lation du dernier recueil : *le Rêve*.

— Écoutez, disait ma mère, la voix tremblante de tendre admiration, écoutez, ma chère enfant, ce début plein de grâce.

Et elle lisait :

« Pendant le rude hiver de 1860, l'Oise gela... »

Je l'écoutai et je laissai s'allonger dans mon cœur l'écho de syllabes
simples et loyales qui, du moins, comme les notes limpides de la
gamme, se succédaient naturellement et ne déformaient pas l'uni-

vers.

C'est à cette surprenante prédilection maternelle pour un auteur sincère, par ailleurs halluciné, maniaque et puérilement insistant, que je dois d'avoir lu, à dix-huit ans, consciencieusement, *Germinal*, dont les fresques sensibles et brutales touchèrent mon esprit sans le captiver. Mais, quelques années plus tard, je me suis arrêtée un jour, courbatue, enfiévrée, consternée, victime de l'admiration patiente, à la dernière page d'un chef-d'œuvre incontestable, construit superbement avec les matériaux de la misère et du vice : *l'Assommoir*.

***

Notre éducation artistique, à la même époque de notre enfance, ne fut pas non plus négligée ; une maîtresse de piano, de bonne lignée musicale, nous reçut chez elle deux fois par semaine. Nous lui apportions une petite virtuosité acquise par des leçons de moindre importance données à domicile depuis notre plus jeune âge. Je vis là comment règne la passion de l'art dans un intérieur modeste, parmi les privations, la pauvreté du décor, les économies obligatoires qui laissaient en hiver le poêle sans feu. Âgée, souffreteuse, frappée par le veuvage, Mme Piquet devenait, en s'approchant du piano où elle observait notre doigté et nous indiquait d'un filet de chant poétique l'expression qu'elle souhaitait nous voir marquer, la compagne et la madone des musiciens de génie dont nous malmenions les œuvres avec la patience des enfants appliqués, qui démontent et brisent soigneusement les pendules. L'interprétation musicale exige l'humilité, le renoncement de soi, la contemplation du héros créateur ; elle n'attend pas que l'on s'exprime, s'avoue et se console par elle. Mais je ne l'entendais pas ainsi ; douée d'une âme sensible et véhémente, je pensais pouvoir me servir d'un prélude de Bach, d'une sonate de Haydn, d'un *largo* de Hændel, pour élancer les jets d'eau d'un cœur confidentiel, faire tourbillonner les feuilles tombantes d'un rêve élégiaque : affreux oubli du service religieux que doit être la présentation d'une œuvre musicale ! Ma turbulence ne manquait pas de sonorité ni d'un sens délicat du toucher qui me valaient des éloges. Pour ma part, j'étais fière de mes attaques guerrières sur l'ivoire et l'ébène ; ma hardiesse m'enivrait ; le pied appuyé sur la pédale résonnante, je conquérais un monde invisible et divin. Mais ma mère, plus encore que Mme Piquet, qui, en tant que professeur, ne s'éloignait ni de la flatterie ni de l'espoir de perfectionner son élève, me reprochait mon tumulte et, parfois, irritée, se précipitait sur moi comme sur un début d'incendie et m'arrachait les mains du clavier.

Entravée dans mon expansion, une promesse intérieure, encourageante, m'affirmait qu'il me serait donné, un jour, de me dépenser entièrement par un moyen dont je ne mesurais pas encore l'étendue, mais précis et retentissant. Puissance du verbe, action sonore de l'éloquence, domination de la poésie, je vous prévoyais obscurément dans ces instants de modeste dépit, et nul mot émané de mon cœur ne suffirait à vous rendre grâces ! Les obstacles élevés contre l'existence, que le destin n'a cessé d'accumuler devant moi, furent si meurtriers que j'eusse dû abandonner le combat, défaillir inanimée, en deçà de la victoire stoïque. Aujourd'hui, il m'est permis de reconnaître que, soutenue par l'âme et ses forces d'harmonie, j'ai vécu au son de ma voix...

CHAPITRE XI

Études et méditations. – Les « cuistres ». – Apparition de Paderewski. – M. Dessus s'apprivoise. – L'Univers parle à l'enfant. – Menaces et promesses. – Les enchantements d'Amphion. – Chauves-souris et hirondelles. – Métaphysique du soir.

Il y eut aussi, dans notre salle d'études, les leçons de dessin : le *Caracalla* de carton blanc, moins grand que nature, qui, sous la direction de Mlle Delaplace, élève de Bonnat, devait nous servir de modèle, alternait avec *la Jeune Fille aux osselets*. Je me sentais impuissante à tenir avec ferveur le fil à plomb, à bien comprendre son rôle qui divisait et fixait l'espace de manière si parfaite que notre maîtresse de dessin, en nous l'expliquant clairement, tirait de son exposé une vanité d'inventeur. Le fusain, le papier Ingres, les fragments de pain rassis dont ma sœur faisait usage avec une décision robuste et adroite, me laissaient hésitante et plaintive. Mlle Delaplace, vieille fille malodorante, aux yeux humides, affligée d'un rhume perpétuel, devenait, par l'esprit, nymphe heureuse dans les beaux-arts, comme Mme Piquet l'était dans le royaume des sons. Mon embarras inspirait la compassion. On me permit d'abandonner la chevelure moutonnante, le front bas, le menton proéminent des empereurs romains, et, comme on s'aperçut que la décoration des éventails de satin apprêté, destinés à être coloriés d'une branche en fleur supportant un nid chargé d'œufs mouchetés, que se disposait à couver un couple de fauvettes, me causait une mélancolique appréhension, on m'accorda enfin la liberté absolue, aux heures où ma sœur dessinait avec un original et incisif talent.

Ces journées languides, privées de promenades suffisantes, privées de joies, et bien que les arts y distillassent le naissant poison, faible encore, des amoureuses rêveries, me détachaient de la vie. Je ne trouvais de nécessité et de but à rien ; je portais le fardeau d'une tristesse incommunicable. En vain essayais-je de m'attacher avec zèle à l'étude ; la connaissance des choses ne devait pas me venir des livres et des cahiers ouverts sur la table en bois triste, tapissée d'un feutre grenat, qu'éclairait la lueur mal assurée d'une lampe à huile, obsédante par un grinçant murmure de déglutition. Et pourtant, quand j'entendais M. Dessus traiter les écrivains, les érudits, les savants du nom de « cuistres », expression que je croyais amicale et destinée à les désigner dignement, je joignais les mains, j'évoquais la noblesse de la pensée humaine et je m'écriais avec ferveur : « Ah ! que j'aime les cuistres ! » Mais le plaisir manquait dans la maison. Vivre sans plaisir, être une enfant qui, silencieusement, se retire en soi-même, n'interroge plus, considère, avec un ingénu dédain, autour de soi, l'affairement des grandes personnes occupées à diriger les serviteurs d'une maison dont tout l'apparat lui semble vain et répréhensible, quel poids sur un si jeune cœur ! Le jardin d'Amphion m'avait, en été, entourée de son charme bien connu et toujours agissant, mais j'y observais l'absence de mon père qui voilait jusqu'à l'éclat des jours parfaits. La poésie des paysages ne cessait de monter vers moi, et je l'enfermais en de premiers vers maladroits, récités par ma mère aux hôtes du voisinage ; malgré l'éphémère béatitude de l'orgueil flatté, je ne me satisfaisais pas de ces petits poèmes qui empruntaient puérilement à l'infini de Hugo l'antithèse poignante du berceau et de la tombe.

L'existence allait-elle continuer ainsi, trop lourde vraiment pour les forces d'une enfant brave, mais qui, ne prévoyant rien au-delà de son large cachot, souhaite plier le col sur l'épaule et mourir ? La mort n'apparaît pas à l'enfant comme rigide, funèbre, dissolvante. Sans images précises fournies par l'expérience, il y voit seulement la cessation élégiaque du mécontentement sensoriel, de la contradiction de toute chose répondant à son appel confus, car rien ne lui est témoin, auxiliaire ou complice.

Alors, il arrive que le sort pitoyable et généreux s'occupe de l'être en détresse. Le destin printanier pousse soudain la porte de la maison, pénètre et transfigure la maussade atmosphère. Cette résurrection, ces fêtes spirituelles des semailles et du jeune blé, se peut-il qu'elles aient des veilles si cruelles que la neuve créature, tentée par l'évanouissement suprême, ne puisse en respirer dans l'espace le secourable effluve ?

Ma mère avait reçu, depuis quelques jours, la visite d'une célèbre pianiste russe, son amie, Mme Annette Essipoff, mariée à l'illustre musicien viennois Letchitisky. Mme Essipoff demanda à ma mère la permission de lui présenter un jeune pianiste dont elle vantait le juvénile génie, l'intelligence et la grâce. Ainsi vint chez nous, un jour d'avril, vers quatre heures, baigné des rayons du plein soleil alors qu'il montait dignement les quelques marches, éclairées par un blanc vitrail, qui menaient au salon de peluche bleue, Ignace Paderewski. Prévenues de cette visite sensationnelle, nous la guettions, ma sœur et moi, dissimulées avec notre gouvernante derrière l'épais rideau qui séparait une partie de l'hôtel de son premier palier. Cette apparition fugitive nous laissa étonnées, sans opinion, mais intriguées par le futur. Paderewski revint souvent, et puis chaque jour, et bientôt M. Dessus décida de nous prendre, ma sœur et moi, chacune par la main, et il nous conduisit vers l'hôte merveilleux.

Je vis une sorte d'archange aux cheveux roux, aux yeux bleus, purs, durs, examinateurs et défiants, tournés vers l'âme. Le cou robuste et coloré était amplement découvert par un col empesé et rabattu, d'où s'envolaient les coques d'une cravate de foulard d'un blanc triste, comme la fleur nuageuse des arbres fruitiers.

Le corps élancé présentait sa minceur dans une redingote noire de tissu modeste, qui contrastait avec l'extrême fierté du visage, barré d'une courte moustache vermeille, dont la vive nuance tachetait aussi le menton volontaire. On eût pu croire à la mélancolie résolue du jeune artiste si tout à coup, et fréquemment, les traits charmants ne s'étaient dénoués et épanouis dans le récit d'anecdotes miroitantes, chargées d'érudition ou bien mordantes et railleuses, qu'accompagnait un rire perlé de collégien, une gaieté ressentie jusqu'à la suffocation. La poignée de main d'Ignace Paderewski était si violente, si chaleureuse, communiquait avec tant de force loyale et passionnée une âme abondante, qu'il était impossible de ne pas subir sans cri de douleur son amicale et longue meurtrissure. Ayant eu ma main d'enfant broyée par ces phalanges d'où découlaient toutes les sources musicales et qu'avaient aguerries les étourdissantes octaves des rhapsodies de Liszt, je levai sur le coupable un regard sans rancune et bientôt ébloui. Combien me plut immédiatement cette allure de vagabond de race noble et fière qui semblait être arrivé lentement, jour après jour, de cette Pologne des rois où tout ce qui est marqué du signe de la supériorité s'adjuge avec simplicité et bonhomie le droit à l'amour-propre suprême ! Il me semblait que le jeune homme étrange, pressentant notre tendresse, était venu vers nous par les routes de Podolie et de Lituanie, usant, dans la chaude poussière ou dans le froid de l'hiver qui tue et fait choir les oiseaux, ses bottines à élastiques, dont la forme inusitée moulait un pied de pâtre grec, tel que le propose en exemple l'École des Beaux-Arts. Perruqué de lumière (ainsi parlait Ronsard), les yeux accordés avec les étoiles, un mage nous était présenté : nous l'aimâmes.

La vie de l'hôtel de l'avenue Hoche fut désormais détournée de la monotonie. Nous ressentions, avec l'impression d'éternité qui s'attache au bien-être, l'allégresse goûtée sur les sommets du rêve, atteints d'un bond, et qui offraient leur hospitalité comme si l'altitude, s'aplanissant, se déroulant, permit qu'une cité heureuse jetât sur la hauteur ses fondations.

Il n'est personne, dans la demeure, qui ne rendît grâces au miracle de la présence du jeune homme sensible et forcené. La dépensière agilité de l'être qui l'animait enrichissait de biens spirituels toute créature que ses yeux distinguaient. En franchissant le seuil de la maison, il saluait, du rire de son regard donateur et d'une noble flexion de la taille, M. et Mme Philibert reconnaissants, puis entrait dans le vaste salon de peluche turquoise que fleurissaient les corbeilles d'azalées blanches adressées par lui à ma mère.

Nos études de la journée terminées, et après avoir entendu, de notre chambre lointaine, les sonorités vagues du piano, d'où s'élevait finalement l'ouragan d'un brillant morceau de Liszt où le chant du *Don Juan* de Mozart est entraîné, harcelé, lapidé par une danse brutale et conquérante, nous arrivions. Notre institutrice française, mon frère et son précepteur, le vieux maître d'hôtel bavarois à qui tout servait de prétexte pour s'introduire dans le salon musical : la surveillance du samovar, la fermeture des volets, la disposition des lampes, la distribution du vin de Tokay, chacun de nous se sentait placé dans la direction de ce rayon doré par quoi s'éclairent mystiquement la portion de cloître et le lis initié des tableaux représentant l'Annonciation.

Auprès d'Ignace Paderewski, nous étions tous pareils à ces promeneurs qui, passant brusquement de l'ombre au soleil, éprouvent le ravissement de sentir sur leur épaule la pression légère et cuisante de la chaleur aérienne. Délices de la lumière pénétrante, présence subite de l'éblouissement ! Qui ne se souvient de s'être arrêté, comme allégé rapidement de tout fardeau, dans un chaud espace, devant la lyrique blancheur d'un mur frappé de la foudre du couchant ? On voit alors les indolents lézards reprendre soudain leurs mouvements de source ondoyante, cependant que l'herbage, les pavés de la route, un buisson épineux reçoivent une scintillante bénédiction et que brille au centre d'un calice la cétoine verte des rosiers ?

Par une alliance de charmes, Paderewski réunissait en lui ces dons vivifiants qui, s'il s'agissait d'une contrée, feraient dire que tout y peut prospérer, qu'un climat privilégié y est aussi favorable à la vigne et au froment qu'à la croissance des camélias décoratifs, du fragile mimosa que rassurent un été sans cruelles canicules, les bontés d'un prudent hiver. À la fois exubérant et réfléchi, rieur et grave, le jeune Polonais était volontiers fastueux comme sa patrie, qu'on imagine coiffée d'épaisse et précieuse fourrure, le dolman chamarré rejeté sur l'épaule, maîtrisant au rythme nettement scandé d'une « cracovienne » quelque monture difficile ; ou bien tendre et fraternel au plus humble, pareil ainsi à ces Wenceslas et ces Hedwige royaux, qui, sur le trône même, témoignaient des mérites inouïs de la sainteté.

Âme religieuse, Paderewski s'approchait du piano comme le prêtre rejoint l'autel. D'abord, il demeurait silencieux. Ses mains, secrètement robustes, reposaient faiblement sur ses genoux. Modeste et recueilli, il attendait. Son visage, ses yeux levés semblaient en quête d'un ordre secret, d'un secours, d'un guide. Après cet émouvant préambule, toute sa personne, dont venait de s'emparer une résolution soudaine, attaquait le clavier avec une vigueur indomptable, comme si, obéissant au commandement de quelque ange furieux, il eût eu à terrasser des chimères. Retenant ou précipitant ses chevaux emportés, il faisait alterner la frénésie avec le calme et la suavité sereine. La musique chantait par ses mains avec quelque chose de parfaitement proche du divin, répandant avec une pensive abondance les larmes de Niobé, le sang des héros invisibles. Elle accordait à la nostalgie, à l'exil, aux sublimes souhaits, à tout ce qui est errant et mendiant dans l'espace un toit auguste et charitable. Aussi, contemplant ce front inspiré, il semblait qu'on pût voir le lien lumineux qui le rattachait à la nue.

Ma mère avait, pendant deux années, vécu dans la mélancolie d'un deuil devenu peu à peu conventionnel et qui nous recouvrait de son ombre oppressante. En entendant divinisées, par une âme auguste, les harmonies qui lui étaient si chères, elle fut arrachée à sa paresse de cœur et transportée dans la région de sa vérité. Nous vîmes autour d'elle et sur elle renaître l'heureuse frivolité de la jeunesse. Les robes nombreuses, claires et fantasques, les parfums destinés à être vaporisés (parmi eux un lilas de Perse qui me causait un début de migraine hallucinée, où s'ébauchaient de capiteux jardins), et le coiffeur célèbre, M. Dondel, qui parlait « chevelure » aussi continûment que les hommes politiques parlent « gouvernement », reprirent le chemin de sa chambre. Parée, parfumée, elle apparaissait riante, contente, comme entourée d'invisibles guirlandes de fleurs, et dans son clair visage s'ébattait gaiement l'expression d'un regard de jeune fille.

M. Dessus, dont on gagnait le cœur par la musique, portait au jeune homme de génie un paternel intérêt, où se mêlaient diverses nuances du sentiment et jusqu'à l'indignation qu'éveillait toujours en lui le partage de la Pologne, écartèlement dont nousmêmes ressentions, jusqu'à la souffrance physique, l'iniquité. Vieil amoureux de ma mère, sorte de tuteur anxieux comme l'a décrit Beaumarchais, M. Dessus, depuis la mort de mon père, veillait dans la maison à ce que ne fût point approchée la beauté. Nous avions assisté à de nombreux ostracismes ; il traitait violemment de « galantin » tout homme agréable, voire important, que ma mère eût reçu sans ennui ; nous l'entendîmes murmurer à M. Philibert des ordres confidentiels pour que fût écarté de la demeure tel personnage en renom, dont les visites lui paraissaient trop fréquentes ; mais, séduit, il donna son consentement à la pure union des âmes musiciennes.

Grâce à la musique, M. Dessus, chaque soir, les épaules et les bras appuyés aux coussins d'un profond fauteuil et rêvant, sentait s'apaiser dans son cœur la colère de badaud qui le soulevait contre le peuple d'Israël, les réformes de Luther et de Calvin, les méfaits de la franc-maçonnerie, les ouvrages de Taine et de Renan. Au son des pianos, qui souvent associaient leur mélodieux encens, il se promenait dans les forêts de Schubert, souriait à Mozart, son préféré, suivait Chopin dans ses transes et ses altières résignations. Lorsque s'arrêtaient les vibrations, M. Dessus, que son vieil âge bondissant relançait au centre de sa vie, s'entretenait fiévreusement avec Paderewski du poète Adam Mickiewicz, figure héroïque et combative de sa jeunesse, dont il connaissait et vénérait la famille. Si fort était chez M. Dessus cet attachement, qu'il s'associait à tout le tourment polonais, aux ferventes et vaines conspirations organisées dans l'intimité. Uni aux proches parents de Mickiewicz, il constituait, avec eux, dans Paris, un de ces archipels de la nation offensée où l'on commémore, par des rites familiaux, les gloires, les sacrifices et les défaites de la patrie éparse. Aussi, le dîner, avenue Hoche, avait-il lieu tard ; cependant, nous y étions admis. Le caviar, les huîtres, les hors-d'œuvre épicés, précédaient un long repas au cours duquel s'épuisaient des bouteilles de champagne rosé qui donnait à la table un éclat de feux de Bengale et l'importance d'un festin. Paderewski, ascète, pèlerin et jeûneur s'il l'eût fallu pour rendre à sa ville natale le plus léger service, devenait soudain, à l'heure du repas, un jeune seigneur du Nord, tel que, dans le lointain des âges, on se le représente, solide, loquace, insouciant, qui reprend possession de son royaume devant les innombrables venaisons livrées à son appétit par les forêts opaques, forcées au son des trompes, et tient dans son poing vigoureux un pesant hanap.

J'avais été une enfant dont le cœur se fanait, que les parois d'une existence étroite meurtrissaient ; parmi le chant des sphères établi dans la demeure, à présent, j'étais heureuse. Ce n'est pas seulement la guérison d'une vie blessée par le regret filial et l'ennui songeur que je devais à Ignace Paderewski, c'était une réintégration de toutes mes forces d'espérance dans un univers figuré et limité par un seul être, mais infini quant à la grâce persuasive et dominatrice. Cet enchanteur puissant, sérieux, possédait la noble faculté de ne rien dédaigner. Curieux de toute chose, ingénument appliqué, bienveillant, agissant avec candeur et opiniâtreté, il appartenait à la terre, il la sentait maternelle ; il ne lui adressait pas ce blasphème divin échappé à des lèvres saintes : « Je ne suis pas d'ici ! » Sachons-le, il est nécessaire que la vie, éphémère, hostile et négligeable, ait ses croyants.

C'est par son respect pour un monde auquel je n'étais pas habituée, que Paderewski me sauvait. Même dans l'enfance, la créature humaine, quand elle s'est rapidement nourrie d'événements, de sagesse triste, peut pressentir et constater l'indifférence du destin et choisir de chanceler vers la mort, qui lui paraît plus savante et plus généreuse. Dès que l'esprit est apte à être étonné de la condition de l'homme et que, le regard troublé par la figure des nuits, il a ressenti l'étrangeté du don de l'intelligence, vaincu par l'énigme provocante de l'éternel silence, il se sentira le fils démuni et débile d'une civilisation fortuite, où les lois, les usages et les convenances lui seront moins familiers que le chant de l'oiseau, que le bondissement du lièvre dans la prairie. Une voix mystérieuse, universelle, dit à l'enfant qui songe : « Efforce-toi, puisque ainsi le veulent l'aveugle vigueur de ton jeune sang et ce but unique du plaisir, vers lequel, inconsciemment, tu t'élances ; mais tu ne mèneras pas jusqu'au bout les entreprises de la noblesse du cœur, des loyales intrigues, de la prévoyance. Puisque tu vis, c'est que tu complotes de réussir ; tu escomptes que des forces amicales, émanées des cieux, issues du globe, encourageront ton intrépide essor. Tu te crois nécessaire à la misérable et injurieuse planète. Es-tu soudain souffrant, tu luttes par l'âme et par le corps pour demeurer vivant, car, né avec le sentiment présomptueux de la tâche insigne et de l'exceptionnel, tu crains d'avoir tort en mourant. D'où te vient, pauvre enfant, pauvre homme, cette confiance dans une secrète protection ? Autour de toi, nulle assurance, nulle garantie. Regarde passer tout ce qui t'éblouit et triomphe. L'athlète est frappé de fièvre, il se débat, se révolte, et puis s'abandonne et s'éteint. Ce qui est vigoureux devient le malade ; le malade devient le moribond ; le mort est le mort. Et quelle éternité imaginais-tu donc pour que tu prisses un soin si minutieux de ton apparence et de ta renommée ? Sorti depuis des siècles des forêts ancestrales, où, du moins, tu obéissais sans conscience à la turbulente nature, préservé désormais de la rigueur des éléments, armé contre tes rivaux par l'ingéniosité et la raison des antiques aïeux, tu sentais décroître ton intuition et ton instinct, cependant que se développaient ta délicatesse et ton souhait du divin. Cet amoindrissement, en toi, de l'animal, est, crois-tu, toute ta dignité. Pourtant, tu aimes, tu désires, tu t'efforces de t'affirmer ; ainsi seras-tu redoutable et meurtrier dans l'ambition comme dans l'amour. Tu fais la guerre, d'individu à individu, de milliers d'hommes à milliers d'hommes. Tu goûtes ce qui te représente, tu hais ce qui t'annihile, tu t'ennuies là où ta personne n'est pas le centre des intérêts et des faveurs. Si puissant que soit ton rêve, et si complète sa réussite, tu ne peux témoigner de ta valeur que parmi le peuple fugitif des humains. Poussière vivante et inquiète, ton avenir est d'être cendre inerte. Ce qui tente ton esprit, les énigmes déchiffrées du monde, la compagnie des constellations, il te faut y renoncer. Afin de te consoler par le courage et la résignation, tu peux écouter les lamentations de Job gémissant pour tout ce qui vit, ou partager le dégoût de Diogène, si vénéré des Grecs qu'ils louèrent en mille épigrammes votives le « chien céleste ». Pourtant, la joie seule est ingénue et salubre. Deux divinités te la décrivent et te l'accordent : la passion et la musique. Dans les moments où l'une ou l'autre te protègent, tu peux connaître le bonheur ; tu peux dépasser par les sens comme par l'esprit ce qui est sans limite, et te détourner de cette phrase désespérée de Pascal : « Pyrrhus ne pouvait être heureux ni avant ni après avoir conquis le monde… »

Ces paroles, indistinctes pour la pensée d'une enfant, mais dont le murmure me poursuivait comme la voix du Roi des Aulnes, qui, dans la ballade de Goethe, fait tressaillir d'épouvante et mourir un petit garçon entre les bras paternels, au cours d'une chevauchée nocturne, je cessai de les entendre. Grâce aux sortilèges d'une musique rassurante et au rayonnement de l'artiste, je rendis à la terre mon amitié. Aussi, Amphion me fit connaître à nouveau ses enchantements. Nous n'habitions plus le charmant chalet au toit incliné, recouvert de fleurs comme le chapeau de paille des bergères. Ma mère, délaissant pieusement les souvenirs des années heureuses de son mariage, nous avait logés avec elle dans une seconde demeure appelée « le château », située dans le jardin, près d'un étang romantique, et qui, auparavant, abritait nos hôtes nombreux et prêtait ses vastes salles à des réceptions restées pour nous mémorables. Ce plaisant bâtiment de couleur blanche et rose était envahi à sa base par les viornes et les troènes, arbustes ténébreux aux floraisons lactées, et sur le treillage des murs s'élançaient jusqu'aux balcons des capucines, fleurs volantes posées sur la plate soucoupe de leur gai feuillage, gosiers dorés que l'heure de midi gorgeait de fraternelle lumière. Le château devait sa dénomination prétentieuse à une tourelle modeste, mais crénelée, qui touchait mon imagination ainsi qu'une romanesque fanfare. Le lac, en cette partie du jardin, était plus proche encore de nous. Au-dessus d'un bel arbre engoncé, appelé catalpa, je voyais respirer et frissonner imperceptiblement cette fraîche étendue d'azur liquide ; j'en goûtais avec un discernement paisible le parfum mouillé, uni et bénévole.

C'est dans une chambre solitaire de la tourelle que Paderewski, retiré, enfermé, s'exerçait pendant de longues heures à des gammes durement frappées en tierces, en sixtes et en octaves, cependant que, dans une pièce immense et vitrée, appelée le « hall », se réunissaient nos autres invités. J'aimais ce hall sans style défini, que mon père avait fait construire négligemment comme on dresse une tente, et si grand que des palmiers dans des caisses de bois, le billard, deux pianos, des lampes supportées par des ibis roses, un nombreux mobilier rustique, ne semblaient pas en diminuer l'espace. Les baies aux larges croisées, souvent ouvertes, ne nous séparaient guère de la nature même. Les abeilles et les frelons, aux heures lumineuses du jour, venaient dans le hall retrouver les fleurs cueillies le matin par les jardiniers, et bourdonnaient, surpris, autour de ces bouquets tièdes et déclinants qui s'effeuillaient et s'évanouissaient dans la cruelle atmosphère de nos plaisirs.

Si peu clos était le hall, élégant et curieux hangar, que je me souviens d'y avoir vu voler au plafond et se heurter contre les murailles des libellules, dont le corps sec et ferme donnait l'impression d'un bijou de paille verte et bleue, aux délicates charnières, dont les ailes translucides évoquaient l'ouvrage de quelque fuseau aérien. Après le coucher du soleil, quand les cieux religieux de Savoie semblaient emplis de mains jointes et en prière, apparaissaient les chauves-souris. Elles ne nous effrayaient pas. J'étais sans crainte envers ces messagères du crépuscule, morceaux détachés du soir, qui se mouvaient avec une circonspecte douceur sur l'horizon couleur de platine et dont la danse feutrée honorait le silence par le silence. L'intrusion de l'une d'elles dans le hall, où, immobile et dissimulée, elle semblait se deviner fautive, ne troublait pas nos réunions ; seule l'entrée étourdie d'une hirondelle nous désolait ; son désarroi, son tourbillonnement égaré éveillaient la pitié et la consternation. On s'ingéniait à l'éloigner de sa prison, à la rendre à son pur infini. Nous avions appris, dès la plus petite enfance, à révérer la flèche vivante qui fauche gaiement l'espace de son coup d'aile noir et blanc, happe le brouillard doré des moucherons et dessine sur l'étendue des arceaux de cris plaintifs et mélodieux : hirondelle, âme parmi le peuple des oiseaux ! C'est à l'heure du soir, quand le jardin d'Amphion n'offrait plus qu'un aspect élagué de paysage japonais, en deux tons, d'argent pâle et d'argent bruni, et que dans la paix aromatique on entendait la légère psalmodie du lac, que se posait entre les grandes personnes et descendait jusqu'aux enfants, muets mais interrogatifs, la question de l'immortalité.

Paderewski, goûtant le repos du clavier fermé, assuré jusqu'au lendemain de l'agilité de ses doigts auxquels il avait sacrifié l'éclatante journée, rêvait, les yeux fixés sur ces clairs de lune, inspirateurs des sonates, et d'une voix docte, puis éthérée, s'appuyant sur ses nombreuses lectures philosophiques autant que sur les forces de son cœur, affirmait la Providence. Insatiable d'harmonie, il repoussait la pensée du néant, autant qu'il eût refusé au début d'un concert d'admettre l'ankylose et la surdité. M. Dessus, chrétien nuisible, continuant en son esprit le travail de son après-midi occupé loyalement à de perfides écrits, évoquait, en face du décor céleste qui portait l'empreinte et l'arabesque des platanes, des bambous, des rosiers, un dieu, comme lui irrité, agressif, abonné, eût-on dit, au journal où notre inconscient ami assurait de haineuses chroniques.

Ma mère, de race platonicienne, que le goût de l'évidence et de la logique dirigeait, recevait en son âme, aisément troublée jusqu'aux pleurs, les appels poétiques du soir. Elle cherchait avec scrupule une route qui conduisît à la certitude. S'étant écoutée parler, convaincue par son émotion même, elle concluait à la métempsycose. Ainsi, sans abandonner les délices bienséantes de la foi, et sans renoncer au doute, parvenait-elle à concevoir saintement, par d'ingénieux méandres, la durée infinie. Ces organismes généreux avaient le courage de l'éternité. Liés indissolublement à leur propre essence, ils étaient exempts de ce poids d'amertume, de cette lassitude par quoi l'on envisage avec délectation, au-delà de la mort, le repos. Sous le regard des astres, que j'examinais avec une lucide ardeur et un désir d'effraction, enveloppée d'encens végétal, enfant sérieuse, je me sentais installée dans le baptême de la poésie. Mais, insatisfaite, pressentant un mystère où s'épanche le cœur immense et comprimé, je devinais qu'un jour je ne serais plus une créature solitaire. Je savais que j'entraînerais sur les sommets de la tristesse et de l'inconnaissable des compagnons dont je deviendrais, grâce à l'univers anxieusement reflété, l'innombrable énigme.

CHAPITRE XII

Paul Mariéton et l'École romane. – Un lutin de Shakespeare. – L'abeille virgilienne du verger de Mistral. – L'Exposition universelle. – La carte du monde. – La tour Eiffel et François Coppée. – Rencontre avec Pierre Loti. – Adolescence. – Ma sœur et moi. – Lutte contre le destin.

Parmi les pittoresques amis de notre mère, qui créent autour des enfants un climat séduisant, tant par le charme ou la gaieté émanant d'eux, que par l'observation qu'ils éveillent, je ne citerai que ceux dont mon imagination bénéficiait. Dès l'âge de dix ans, je vois autour de nous, surtout à Amphion, où le peu d'importance accordé aux devoirs de vacances nous permettait une large liberté, Paul Mariéton, figure étonnante par l'alliance de la valeur réelle et du comique le plus certain. Ce Lyonnais au visage d'un rose de fleur, aux tempes ornées de quelques cheveux dorés, tournés en vrille, devait à sa passion pour l'œuvre de Mistral d'être devenu méditerranéen, ligure, phocéen, citoyen d'Arles et d'Avignon, pèlerin fervent des portails en bois sculptés d'Aix et des paysages de Cassis.

Chauve dès son adolescence, disait-il, et au temps où nous le connûmes remarquable aussi par cette légèreté de corps que l'on voit parfois aux jeunes obèses, il était comparable à ces ballons tendus et glissants qui posent à peine sur le sol et paraissent plus aériens que terrestres. Il portait fièrement, avec une sorte de défi et de vantardise, sa calvitie, comme si elle eût été un feutre empanaché, et il transformait sa proéminence abdominale en subtilité de danseuse aux ailes de gaze. Son clair regard exorbité, couleur d'aigue-marine, semblait reproduire par l'hésitation et par la soudaine explosion son inguérissable bégaiement. Favorable défaut ! Mariéton obtenait, grâce à ce frein capricieux, à l'attente imposée, des effets d'éloquence, une facilité prodigieuse d'association d'idées, qui lui fournissait des jeux de mots pleins de chance et de réussite.

À un dîner chez ma mère, alors que ma sœur et moi étions de toutes jeunes mariées, insouciantes, sûres du destin, rieuses parmi des compagnons heureux, un ananas fut présenté au dessert. On allait le découper en tranches rondes lorsque Léon Daudet, s'interposant, appliqua au beau fruit exotique la méthode experte de l'arrachement en pleine pulpe : « Mais, Léon, s'écria Mariéton, en séparant convulsivement les syllabes, c'est de l'ana-na-tomie ! »

Épris du génie de Mistral autant que Vincent est amoureux de Mireille, il avait contribué à créer autour du superbe ermite de Maillane une religion noble et compliquée dont les rites et l'honneur comportaient le retour perpétuel des noms d'Aubanel, de Félix Gras, de Roumanille : le *Félibrige*.

Sans qu'il nous fût possible de savoir exactement ce qu'était le *Félibrige*, l'apparence de troubadour et les récits ensoleillés de Mariéton installaient chez nous le mas et le micocoulier, la cueillette des olives, la farandole, les tambourinaires, puis son verbe haut et saccadé reculait dans l'azur des siècles jusqu'à évoquer Eschyle et Sophocle, dont il déclamait d'une voix ligotée et pourtant bondissante les apostrophes mystérieuses :

Ô Cithéron ! pourquoi...

ou bien :

Soleil, œil du jour d'or !

Ce magnifique bavard, en qui la parole et les chants populaires circulaient comme un bétail abondant et lustré sur une route sans encombre – ainsi voit-on des troupeaux de bœufs blancs, aux cornes en forme de lyre, traverser la campagne romaine – me comblait de rêveries en modulant au piano les poèmes mistraliens du recueil des *Îles d'or*. Les vers aisés et puissants de Mistral me faisaient sombrer dans le bienheureux abîme des songes. Que de promesses, de parfums, d'horizon avait pour moi cette image aux syllabes mélodieuses, que faisait retentir dans le hall d'Amphion la voix allègre de Mariéton :

Le bâtiment vient de Majorque,
De Majorque vient le bâtiment...

Par le génie azuré, salin, aromatique, stellaire de Frédéric Mistral, Paul Mariéton m'initiait à l'Hellade, de la même manière que la conversation du radieux Paderewski, son élocution brillante et l'accent velouté de sa race me transportaient dans la Pologne fastueuse, imaginative et susceptible. Mais ne sachant où situer le culte rendu par Mariéton à la poésie romane et à la langue d'oc, je m'attachais surtout aux cocasseries que provoquait son sacerdoce et qu'il se plaisait à révéler. Directeur de *la Revue félibréenne* aux rares apparitions, revêtu jusque sur ses cartes de visite du titre de *Chancelier du Félibrige*, il nous ravissait en nous montrant, parmi la correspondance ininterrompue qui lui parvenait, des enveloppes qui portaient gravement la suscription de :

MONSIEUR PAUL MARIÉTON
Chandelier du Félibrige,

ou, pis encore :

Chamelier du Félibrige.

Paul Mariéton tenait de l'irréel quant à l'impulsivité qui faisait de lui une figure romanesque, menée en tous sens par le souffle d'un génie créateur qui aurait choisi pour divertissement le burlesque. Il y avait du lutin de Shakespeare dans ce gros homme poétique, musicien, solennel et risible, toujours prêt à se bafouer lui-même, comme à s'honorer sans mesure, bien qu'avec une éclatante incertitude.

Présomptueux ou élégiaque en amour, chaste amant dupé des vierges et des aventurières, sentimental jusqu'à l'émouvante niaiserie, il pouvait prétendre chevaucher, tel un sylphe, les rayons de la lune d'été, ou donner de la noblesse à la bouffonnerie classique et royale, couleur de pourpre et d'or.

Les événements et les renommées se groupaient volontiers autour de ce naïf et bourdonnant ami qui, en dépit de son érudition diverse, désordonnée et surabondante, offrait une âme spacieuse et désertique, tendrement accueillante aux strophes lyriques, aux héroïnes diaphanes, aux frelons et aux grelots.

Quand j'eus vingt ans, c'est chez Paul Mariéton, à Paris, dans son rez-de-chaussée obscur de la rue Richepanse, bondé de livres et de lettres qu'il attribuait confidentiellement à des couples d'amants célèbres, ou à la solitude amère d'Alfred de Vigny et de Barbey d'Aurevilly, que je rencontrai pour la première fois, pendant quelques instants (car nous fûmes comme effrayés l'un par l'autre), Maurice Barrès. C'est Mariéton qui me conduisit plus tard à Maillane et me mêla pendant une semaine aux fêtes mistraliennes. Par lui, je fus coiffée du ruban de moire noire des filles d'Arles que maintiennent de lourdes épingles dorées ; c'est lui qui me jeta dans les bras du poète Charloun, paysan amical et prophétique, aussi fiévreux qu'était paisible le divin Mistral ; enfin, c'est lui qui me fit séjourner, à Maillane, dans la demeure gracieuse et archaïque du génie. Je pouvais me croire, dans cette blanche maison entourée de jarres aromatiques, l'hôte d'Homère ou d'Hésiode, tant Frédéric Mistral, fils de la jeune antiquité, octogénaire aux yeux d'un bleu de limpide calanque, au sourire pur et galant, au port de tête de fier oiseau dans la saison de l'amour, était en droit de faire penser à quelque robuste et viril Daphnis.

Lorsque, prématurément, bravement, dissimulant son agonie invraisemblable, Mariéton, ce Chevalier de la Joyeuse Figure, mourut de cruelle et languissante phtisie, dans une maison battue des vents de Villeneuve-sur-Rhône, fidèle jusqu'aux derniers instants à la Provence soleilleuse et mordante, je ne me représentai pas son anéantissement. Il semblait devoir échapper au sérieux triste du trépas. Son ébriété rabelaisienne, ses glauques songeries, au cours desquelles il fredonnait des stances de Schiller ou la *Lorelei* d'Henri Heine, non sans s'adresser à lui-même de gais sarcasmes, étaient tout imprégnés de sagesse latine.

Énorme abeille virgilienne du verger de Mistral, habitué à bondir et à bruire confusément parmi les aromates et les hautes tiges de citronnelles de l'enclos du poète insigne, nul plus que lui n'était adapté à la vie. Penser à lui, c'était s'accommoder du sort, renoncer à toute métaphysique, repousser le sentiment de l'infini, qui empêche que l'esprit ne se satisfasse du bon sens.

***

À l'époque, tout enfantine encore pour nous, où l'illustre Paderewski dorait nos journées par sa grâce magnanime et nous bouleversait par la solennité de ses concerts que l'on fréquentait comme un temple aux heures saintes, eut lieu à Paris l'Exposition universelle.

Ainsi, parfois, le bonheur s'amplifie. Cette éclosion secrète, ce brusque épanouissement de tous les sites énigmatiques sur le terrain du Champ-de-Mars fut pour moi le commencement exaltant de la possession du monde, que jusqu'alors je n'avais connu qu'en m'emparant rêveusement de la beauté des paysages du lac Léman. J'avais, dès l'enfance, fait alliance avec l'univers par les matins de bleu cristal, la pureté tiède et neigeuse de l'air, la surface poétique de l'eau, d'où je m'attendais à voir surgir une neuve, gracile et naïve Aphrodite ; les mains jointes, j'avais contemplé les couchers de soleil silencieux et pourtant, par leur emphase, déclamatoires. Sollicitée par leur appel mêlé de quotidien adieu, j'avais souhaité me précipiter en eux, m'engloutir dans leur draperie écarlate, y périr triomphalement.

À présent, l'Exposition universelle m'offrait tous les aspects du globe, venus se poser près de nous à grands coups d'ailes, comme d'extravagantes et dociles colombes. On se rendait aux étalages des nations avec une sorte de gloutonnerie curieuse, décidé à tout voir, à tout palper.

Si malaisées étaient encore à cette époque les communications, que le pavillon de l'Angleterre, verni, rustique, confortable, fleuri de chèvrefeuille et de buissons d'anthémis, achalandé de pâtisserie au gingembre et de thés odorants que présentaient des Cingalais, aux longs cheveux relevés sur le crâne par un peigne féminin, éblouissait l'imagination. Le chalet du Danemark, clair bâtiment de bois résineux, orné de son drapeau simple et net, faisait penser à un brick arrêté sur une mer froide, cependant que l'isba moscovite, modeste chaumière sur la porte de laquelle souriait bonnement, sous un fichu rouge enveloppant la tête et noué autour du cou, une jeune femme tartare, aux pommettes hautes et rondes, donnait le vertige des distances incalculables.

Ainsi m'accointais-je, avec félicité, de la géographie que je n'aimais pas, que je ne devais jamais aimer. Tout à plat dans un atlas, les couleurs et les traits indiquant la configuration des contrées, la délimitation et les arabesques des eaux, non seulement rebutaient mon esprit, mais lui imposaient une sorte de mélancolie due à l'abstraction qui, de mes yeux déçus, frappait mon cœur.

La carte du monde, feuillet misérable de papier colorié, dont la turbulence de la vie était absente, devait, un jour, m'apparaître humainement déchirante et infliger à ma pensée le plus poignant et précis désarroi. C'est lorsque j'eus la douleur d'assister, dans sa détresse infinie, une mère à qui venait d'être arraché, par la mortelle maladie, un fils d'une vingtaine d'années, chef-d'œuvre de grâce et d'intelligence, en qui alternait la rêverie altière de la philosophie avec le rire tendre, et moqueusement renseigné de Henri Heine : Henri Franck.

Mon désespoir s'accotait à celui de la mère vaillante, que son malheur même, solide et comme durci, retenait à la terre. Hébétée autant qu'elle, je la considérais qui tenait entre ses doigts la mince feuille de papier d'une photographie. Avec une sorte de farouche et opiniâtre ardeur, la pauvre créature, frustrée de toute réalité, s'appliquait à posséder encore le souffle et l'apparence de son enfant qu'on ensevelissait et dont elle avait connu la chaleur délicieuse, les dimensions exquises, l'alerte et fine épaisseur, les couleurs que l'âme faisait vibrer, toutes les brusqueries et les pulsations de la vie. Tromperie atroce, injurieuse imitation du vrai, telle m'apparut cette contemplation déchirante ; de la même offensante manière, m'avait, dans mon enfance, attristée la carte du monde.

Pour les petites filles que nous étions, cette authentique et palpitante réduction de la planète que figurait l'Exposition universelle semblait répondre à toutes les aspirations de l'enfance, désireuse d'aventures émouvantes ou redoutables. Sur mes prières, on m'épargna les visites instructives : la galerie des Machines, les ateliers de filature, les bâtiments où se fabriquaient le verre, le chocolat, les boîtes métalliques emplies d'échantillons de biscuits. On m'accorda de ne cueillir sur le monde étranger que la poésie incorporée à sa substance. Sauf la Chine et le Japon, abondamment représentés par des bazars où le papier cotonneux, huileux, facilement en charpie, enveloppait les bibelots de bois dont nous faisions l'acquisition, et qui me livra définitivement la puissante et persistante odeur de la race jaune, la plupart des autres nations avaient envoyé, pour s'affirmer, leurs cabaretiers, leurs danseuses et leurs musiciens.

Sur le vaste espace du Champ-de-Mars, la musique de chaque pays s'étendait comme un tissu flottant que trouait la rumeur de la foule impatiente. Dans l'éther pressé par les aériennes architectures juxtaposées, traînaient, lambeaux sonores, la plainte fringante des violons de Bohême, le sifflement d'oiseau pâmé de la flûte de Pan issu du pavillon roumain, les vociférations d'amour et de mort qui retentissaient entre les parois de laque rouge du théâtre annamite. Plusieurs fois par semaine, ma mère, le docteur Vidal, M. Dessus, le glorieux Paderewski, se rendaient avec nous à cette réunion familiale de l'univers, petite, mais grouillante, et qui avait comme enivré Paris. La tour Eiffel, fabuleux cyprès métallique, n'avait pour rivale que la rue du Caire, qui paraissait étourdissante par la reproduction de hautes maisons rapprochées, formant un frais couloir ; le dialecte des indigènes, dédaigneux et tristes, errant en longues chemises bleues ; les petits ânes au poil neigeux ; la malpropreté orientale, que l'on appelait alors exotique. Nous avions remarqué l'intérêt mystérieux qu'éveillaient les danseuses javanaises, à la fois insectes et bibelots noblement maniérés, dont les corps enfantins et safranés, aux regards stupéfiés, paraissaient, à la faveur de leurs vêtements étroits, incrustés eux-mêmes de pierreries. Mais la tour Eiffel ne perdait pas son rang d'attraction insigne ; des clans s'étaient formés qui l'attaquaient, d'autres la voulaient défendre. On était pour ou contre la tour Eiffel. À son sujet, les discussions artistiques et scientifiques aboutirent à une querelle nationale, politique, sectaire. François Coppée était le chef brutal et intransigeant des ennemis du moderne campanile. Je n'avais encore lu de Coppée que des contes bourrus et larmoyants dans un livre d'étrennes qu'illustraient des croquis de la rue Rousselet et du quartier Mouffetard. J'avais admiré l'honnêteté, la bravoure, le désintéressement, les sacrifices toujours aimablement consentis des enfants plébéiens, les vertus de leurs parents courageux, nets, sobres et loyaux ; mais, bien vite, j'avais découvert les procédés littéraires du narrateur bourgeois, qui, confortablement établi dans une vie de plaisir, s'était voué à la description de l'artisan des faubourgs comme un Hollandais voluptueux cultive des tulipes. Pour François Coppée, l'azur d'un jour d'été évoquait un ciel en blouse bleue, et les lilas ineffables, merveille du printemps, lui représentaient le familier aphrodisiaque auquel succombe, sur l'herbe roussie des banlieues, la pudeur des modestes citadines. J'avais été plus touchée par quelques-uns de ses vers amoureux que j'entendais réciter, parmi lesquels celui-ci m'avait semblé bien hardi et bien beau :

Quelque chose comme une odeur qui serait blonde...

Pourquoi l'hommage opiniâtre et comme agressif, rendu par François Coppée à une sorte de misère idéale, honorable et florissante, ne convainquait-il pas mon cœur pitoyable, déjà fraternellement populaire, alors que le nom de Tolstoï, prononcé autour de nous, me faisait entrevoir les grandes tragédies de la conscience et de la compassion sociale ?

Je n'aimais pas que François Coppée acceptât d'être célébré sous le titre de « poète des humbles », car, respectant les humbles, sachant qu'ils peuvent atteindre à la royauté de l'esprit et du caractère, je leur reconnaissais le droit à la fierté. Parmi les premiers poèmes qui avaient formé ma pensée, se trouvaient les vers où Victor Hugo dépeint un mendiant qui passe son chemin, en vêtements loqueteux, et rencontre un promeneur charitable, disposé à lui faire généreusement l'aumône. Aussitôt, le pauvre se transfigure en beauté, majesté, clarté et représente Jésus-Christ lui-même, dans une tunique parsemée d'astres.

Au moment de l'Exposition universelle, François Coppée, manquant à toute résignation, se sentit personnellement atteint et incommodé par le récent aspect que la tour Eiffel donnait au visage de Paris. Révélant un nouvel et acerbe patriotisme, il exprima sa rancœur au cours d'un long poème dont ce vers enthousiasma ses amis :

C'est énorme, ce n'est pas grand !

Nous aimions la tour Eiffel, l'arche imposante de sa base, la mystérieuse et insensible oscillation qui se produisait à son faîte, complicités aériennes d'harmonieuses mathématiques.

Bravement, au prix d'un vertige inoubliable, nous gravîmes les escaliers à claire-voie, ressentant l'honneur d'être accompagnés par M. Eiffel. Ma mère, s'accrochant avec terreur au bras de l'illustre ingénieur, se révélait entièrement en faisant alterner des gémissements sans contrainte avec les plus courtoises et souriantes félicitations. Elle et moi, épuisées, dûmes nous arrêter à la dernière plateforme, cependant que mon frère et ma sœur s'élançaient jusqu'à toucher le drapeau. Ils éprouvèrent de cet exploit un orgueil dont il fut longtemps parlé. Deux sentiments étaient en honneur dans la maison de l'avenue Hoche : la témérité d'abord, mais aussi, chez une petite fille et chez une femme, l'anxiété, la défaillance, les langoureuses angoisses, tout ce qui apparente un corps délicat au poétique évanouissement d'Esther.

Le temps passait, nous vivions heureux dans le rayonnement de la présence quotidienne de Paderewski, rieur, disert, anecdotique. En dépit d'une fragilité de santé attachée à ma native robustesse par la grave maladie de Constantinople, je goûtais doucement, envahie par le monde des images, les confuses délices de la croissance. À treize ans je m'unissais à tous les éléments, à tout le roman du monde. Si la créature, dès sa naissance et jusqu'à sa mort, est inconsciemment livrée à la hantise voluptueuse par la rêverie, l'irritation, la tristesse, il est une longue partie de sa vie où l'obsession sans relâche fait d'elle l'esclave, la victime triomphante des sollicitations de la nature. De bonne heure, les petites filles sont averties secrètement de la prédominance du charme corporel sur toutes les vertus de l'esprit, et, si fières sont-elles de cet avantage animal que leur confère la beauté, que, pour elles, l'orgueil est presque toujours physique.

Bien que timide par délicatesse de l'âme, par amitié pour tous les êtres mêlés à mes études comme à mes jeux, et dont je pressentais obscurément, quant à quelques-uns, le chétif avenir, j'étais assurée de ma puissance, satisfaite de mon apparence que mon entourage approuvait. J'avais eu peur de ce que l'on appelle injustement l'âge ingrat – ce si beau moment d'avant quinze ans ! Pauvre enfant ingénue, je comptais, avec une naïve certitude, m'ébattre au centre du monde. « Si je n'étais pas souffrante, ai-je dit alors, et répété toute la vie, je sentirais des ailes croître à mes épaules et je m'élancerais dans la nue. » Il faut l'avouer, et c'est là, je crois, une vérité pour les femmes que le destin a favorisées, j'étais moins vaniteuse des dons de l'esprit, si vigoureux en moi que je ne les mettais pas en doute, que de l'image reflétée par mon miroir, fréquemment consulté. Car, si la supériorité de l'intelligence confère un bien-être matériel et installe dans l'être un repos délectable, seul le plaisir physique contente l'âme pleinement.

***

À cette époque de nébuleux bonheur, je dus une des fiertés de ma vie à ma tante, la princesse Alexandre Bibesco, femme du dernier frère de mon père, musicienne fougueuse et savante. La pulsation rapide et diamantée de son ténébreux regard et son rire nacré de bohémienne, encline aux excès charitables, rendaient à son visage l'attrait dont le privaient un teint bistré, un dur profil irrégulier. Son entourage se composait aussi bien d'artistes et d'écrivains en renom que de médecins célèbres et de royales altesses, errantes, destituées, en quête de relations amicales, de réunions artistiques et de collations. Constatons-le, ce qui règne réellement et porte la responsabilité du commandement s'apparente aux esprits laborieux, se signale par la dignité, le souci, et souvent par le noble embarras, mais ce qui est sans prestige efficace ni pouvoir se repaît de stérile vanité et croit accorder la faveur de sa présence, tout en ne pouvant que mendier hautainement de fallacieux hommages.

Ma tante, généreuse par un feu de l'âme qui sillonnait son être fébrile, s'intéressait à moi. Le don de poésie qu'elle me connaissait et la langueur maladive que je surmontais plaisaient à son cœur actif, impérieux et pitoyable. Elle me demanda un jour ce qui pourrait me causer le plus grand plaisir. Déjà, grâce à son zèle, qui la désennuyait, j'avais rendu visite au professeur Hayem, étrange oiseau nocturne, sombre Faust installé au milieu des alambics. Son regard magnétique et défiant semblait briller au centre de sa personne tout entière crochue. Ne pouvant se rendre à l'évidence des facilités poétiques d'une enfant de treize ans, que, modestement, je lui avouai, il m'avait prescrit, au long de quatre pages, un traitement minutieux, dont il attendait, me disait-il, la guérison complète de la douleur physique comme de l'inspiration lyrique. Aujourd'hui encore, le professeur Hayem, vieillard juvénile, gloire médicale vénérée, se souvient, en riant, de son innocent diagnostic.

Je confessai donc à ma tante le désir ardent que j'avais de rencontrer Pierre Loti, qui était un de ses fidèles amis. Je venais de lire *Pêcheur d'Islande*. Je vivais dans la turbulence de ce récit qu'animent les flots marins indéfiniment dépeints en leurs variétés ; j'aimais d'une confuse et harcelante passion le héros du roman, le pauvre matelot apollonien qui lutte avec la tempête, l'amour et la mort comme Jacob avec l'ange furieux. Enivrée par le style de Loti qui semble murmurer, rêver, suggérer, plus qu'il ne s'attache à formuler nettement, je pénétrais dans le miel de ses longs adjectifs qui captivent le cœur avant même de le renseigner. Je discernais aussi chez lui cette sommaire, sensuelle et véridique philosophie, si humaine, par quoi la créature cherche âprement à s'envelopper de sensations voluptueuses et à les retenir.

L'invisible immoralité du génie de Loti, la part de vérité qu'elle contient, m'avaient séduite au moyen des syllabes traînantes, et envahie par les paysages frénétiques des contrées lointaines et tristes. Un autre de ses volumes, celui-là mêlé de fourmillante Europe autant que des Tropiques, m'avait troublée au point que le nom seul des ports de Brest, de Cherbourg, de Toulon, point de départ vers l'Orient, m'engourdissait de bonheur. Ingénue, j'ignorais que ce bien-être halluciné me venait de la vision du poète, décrivant l'effervescence des jeunes hommes dévolus aux rudes aventures des mers, qu'ils affrontent, aux heures du départ, avec une brutale et luxurieuse dépense de l'être. Et, heureuse, je répétais pour moi seule ce refrain d'une chanson misérable des ruelles suspectes, que

Loti fait retentir dans les nuits troubles et bachiques :

Enfants, cueillez tour à tour
Des jours de folie et des nuits d'amour...

Il fut convenu avec ma tante que je rencontrerais Pierre Loti chez elle, un dimanche, vers quatre heures. Je croyais aimer le poète lui-même, le donateur prodigue de l'Orient, dont les désirs inassouvissables s'assoupissent au bruit des guitares indigènes, entre les feuillages opulents et les rivières limoneuses, sous des ciels aux astres rapprochés. Mais vouloir connaître le séducteur, souhaiter être vue par lui, c'est tenter de plaire, de se défaire du sentiment que l'on éprouve en le transmettant à celui qui l'inspire ; ce n'est plus aimer comme il faut aimer, humblement. Certes, j'ignorais que j'agissais déjà dans le sens de la nature vindicative et rusée, et c'est avec un tremblement du cœur que j'imaginais ma rencontre avec ce Bouddha respirant.

Lorsque je sus à quel moment j'allais me trouver en face de Pierre Loti, je fus extrêmement préoccupée de la manière dont je serais parée. Ma mère nous laissait déjà libres du choix de nos toilettes. J'aimais la vivacité des couleurs, leur audacieux contraste ; une robe me semblait un paysage, une amorce avec le destin, une promesse d'aventure. Le malheur, pour moi, était qu'à treize ans je n'avais pas droit encore au couturier habile qui mène jusqu'à la perfection la témérité et l'éclat des tissus assemblés. Au moment de revêtir la robe exécutée par des mains hésitantes, je ne manquais pas de souffrir de tous les défauts qui m'étaient révélés. Je n'étais donc pas satisfaite du vêtement ingénieusement rêvé, gauchement composé, que j'endossais pour me rendre chez ma tante. Le chapeau, une capeline inclinée garnie de marguerites et de pâles bleuets, la chevelure volante, le visage dont j'étais contente, m'encourageaient, mais la déception m'attendait en la personne même au-devant de qui j'allais.

Lorsque j'entrai chez ma tante, rue de Courcelles, dans un salon dont l'ameublement chinois, tout entier en bois d'ébène, en ce temps-là fort prisé, figurait des chimères irritées, que bleuissait l'aveuglant soleil de l'après-midi, je vis un homme petit, anxieux de son apparence, haussé sur des talons qui déformaient ses pieds ténus. Un nez épais et arrondi d'ample papillon des nuits, une courte barbe foncée, taillée en pointe, ne parvenaient pas à être rachetés par la saisissante beauté du regard. Le regard était pourtant obsédant. Yeux vastes et immobiles, appliqués à bien voir, qui semblaient aspirer tout spectacle, mêler avec idolâtrie une vision nouvelle à l'accumulation des régions, des cieux, des océans, des astres, engloutis dans la prunelle de ce voyageur perpétuel et non rassasié. Mais, tandis que je commençais à souffrir de n'avoir pas rencontré l'émir avec qui je souhaitais vivre et mourir, j'entendis Pierre Loti, observateur ému, dire à ma tante d'une voix nette et tendre, dont j'ai gardé l'accent dans mon cœur :

« C'est la petite fille de l'*Aurora* ; je l'ai vue pleurer il y a quelques années sur un bateau qui la ramenait de Constantinople à un port de la mer Noire… »

Le soir même, je reçus de Pierre Loti une photographie qui le représentait demi-nu, les bras en croix, les hanches serrées par un pagne, dans l'attitude extasiée des fakirs. Bien que secrètement scandalisée par le torse découvert, j'éprouvai un bondissant orgueil à lire la dédicace qui rappelait notre rapprochement mystérieux sur les eaux du Bosphore. Quoi donc ! l'écrivain qui, par ses livres de génie, m'installait au paradis, avait distingué, plusieurs années auparavant, une petite fille en larmes, qui, à force de souffrance sentimentale, aspirait à l'anéantissement sur le pont d'un bateau turc ! Je pouvais, désormais, négliger les hommages des jeunes châtelains du lac Léman, ne prêter aucune attention à leurs compliments piètrement exprimés, qui ne laissaient pas de me toucher, car, au printemps, la compagne de l'oiseau, sur la branche de l'aubépine vanillée, remercie, d'un mouvement gracieux du col et des ailes, le mâle tendre et infatué qui s'ingénie à lui plaire et la rend naïvement favorable à l'amour inconnu.

***

C'est une des lois les plus constantes du destin, dédaigneux des hommes, lesquels pourtant ont fait de lui un dieu sensible à leurs prières, que l'on ne puisse goûter des moments de bonheur, pourtant toujours traversés d'ennui et de languissement, sans que le malheur vienne interrompre notre riante ou médiocre sécurité.

Un jour d'août, à Amphion, ma sœur et moi, en costume blanc

de tennis, une cravate de soie bleu pâle nouée autour du col, coiffées, sur nos longs cheveux, d'un chapeau de feutre aux ondulations romanesques, nous nous promenions sur le bord du lac, dans cette partie du jardin qui me semblait plus parfaite par l'exubérance de hauts magnolias vernissés. Leurs larges fleurs au parfum fruitier et torrentiel, s'épanouissaient au-dessus de sveltes palmiers qu'humectait le courant d'une fine source. Soudain, une querelle éclata entre nous. Les jeunes êtres sont des fauves, l'ardeur des lionceaux les habite, si doux, raisonnables et affectueux que s'affirment à l'ordinaire leur esprit et leur caractère. Inexplicablement et sans que l'on puisse conjurer l'instinctif orage, le défi, la contradiction, l'invective se donnent libre cours. Chacun des combattants, pareils à des gladiateurs et oubliant l'habituelle tendresse, choisit pour tâche honorable la nécessité de vaincre et de triompher sans miséricorde. Nous nous disputâmes, absurdement, âprement, sur le sujet le plus futile. Ma sœur était justement connue pour robuste, entêtée, garçonnière, alors que j'étais une adolescente délicate, dont se préoccupaient les médecins ; elle s'élança sur moi. Les arguments ayant fait place à la violence, nous nous taisions et nous nous malmenions toutes deux. Attaquée à tort, je me défendis, et, incroyablement méchantes pour un instant, nous représentions, l'une contre l'autre, deux forces acharnées et haineuses. C'est alors que j'entendis ma sœur, dont j'avais jusqu'alors, en de regrettables combats, été la victime meurtrie, suffoquer tout à coup, chanceler et dire d'une voix altérée, dont l'accent faible et sans défense me transperça le cœur : « Je suis fatiguée… »

Je sentis une pitié indicible et un remords épouvanté m'envahir. Je contemplai avec hébétude, avec un sentiment de lassitude indéfinissable qui implore l'infini, le visage subitement aminci de ma sœur vigoureuse, de ma sœur que j'avais, depuis les premières années de notre vie commune, aimée en la redoutant, en n'espérant pas conquérir son cœur secret, volontaire et distant. Si l'existence m'avait été arrachée en cet instant-là, j'eusse connu un bienheureux sommeil : l'enlisement dans ces neiges ou ces sables onctueux qui, lentement, recouvrent et abolissent la conscience. Mais, perspicace, je compris que l'enfant courageuse et brutale qui venait de renoncer à la lutte par elle-même provoquée s'était sentie malade, était touchée par quelque ennemi intérieur de la régulière et puissante respiration. N'ayant plus connaissance de rien que de la résolution affligée où j'étais de la servir, je la ramenai à petits pas vers notre maison, et le médecin, aussitôt appelé, constata qu'elle était atteinte depuis plusieurs jours d'une pleurésie. Brave, obstinée et de cœur fier, ma sœur parut ne pas s'occuper d'elle-même, des soins confus et douloureux qui lui furent donnés. Pour ma part, je sentis en moi les veines de l'âme s'ouvrir, la vie me quitter. Quoi ! ma sœur quotidienne et indéchiffrable, l'être qui ne s'accointait de personne, qui, fréquemment, me bousculait et me peinait, ma propre personne divisée, l'enfant de mes parents, le seul corps humain qui, étranger à moi-même, était pourtant tout moi-même, avait été frappée de la foudre à mes côtés sans que mon organisme eût fléchi avec le sien ! Mon seul vœu était de prendre la moitié de son mal, moi dont la substance était entièrement composée de la sienne. De tels souhaits nés de la chair, issus de la profondeur ancestrale, ne sont pas exaucés, mais la rébellion de l'instinct ne se laisse pas apaiser. Dès cette heure tranchante, que mon cœur n'acceptait pas, je cessai d'être la créature conquérante, langoureuse, coquette, envahissante ou passionnément et chrétiennement modeste que j'étais, que je me plaisais à être.

Un sentiment maternel ineffable m'attacha à l'enfant dont j'étais l'aînée d'un an, et dont souvent le charme farouche et la mystérieuse dureté m'avaient fait souffrir. Je ne cessai de ressentir et de refuser l'injure que le destin m'envoyait à travers elle. Ma mère, incapable de se contrôler, répandait des pleurs qui nous consternaient et nuisaient à l'énergie de l'enfant malade. Notre institutrice française, qui avait pour moi une prédilection accusée, me torturait par la préférence qu'elle persistait à me témoigner ; M. Dessus, maladroit dans sa tendresse inquiète et blessée, tenait à ma sœur des propos de piété, qui l'irritaient et suscitaient en son esprit une silencieuse appréhension. Les médecins, plus attachés à rassurer ma mère et à lui complaire qu'à imposer leur science, d'ailleurs indécise, tout enfin contribuait à désespérer ma raison, mon fraternel amour.

En octobre, de retour à Paris et en dépit des diverses opinions médicales chancelantes, ma mère, mise en face du froid ténébreux et d'une pluie persistante, décida que nous partirions pour le Midi. Une villa fut choisie à Monte-Carlo. La Méditerranée dont j'avais toujours rêvé, les jardins qui fleurissent à l'époque où la neige, les brouillards, les vents glacés plongent Paris dans une somnolence désolée, en un mot la volupté du plus proche Orient, je ne devais donc les connaître que guidée par la main économe du destin, qui repousse avec une maussade moquerie l'élan filial des jeunes êtres, toujours prêts à l'enlacer, à oublier ses dédains, à lui prodiguer leurs confiants embrassements !

Arrêtée sur ma route triomphante et ingénument voluptueuse, je courbai la tête, je jurai de secourir ma sœur charnellement offensée, et cessant d'être élégiaque ou agitatrice par désir de séduction, j'entrepris d'opposer au destin provocateur une robustesse d'âme que la tendresse irritée rendait stoïque et invincible.

CHAPITRE XIII

Adolescence. – Monte-Carlo. – Difficile rétablissement de ma sœur. – Mon appendicite. – Notre institutrice française. – Pau. – Mon institutrice allemande. – Lourdes. – Retour à Paris. – Le prince Edmond de Polignac.[1]

J'allais avoir quinze ans, quand le désordre et la liberté pénétrèrent dans ma vie à la suite de la pleurésie grave qui venait d'affecter la santé de ma sœur. Affligée, précipitée dans le désarroi par les opinions médicales contradictoires, ma mère ne cessait de pleurer furtivement. Sa détresse nous gagnait et nous consternait. Tel médecin, consciencieux, affirmait que l'hiver de Paris, qui nous était habituel, ne saurait être nuisible à ma sœur ; tel autre, aussi loyal, proclamait que la tiédeur du Midi pouvait seule remédier à son état de consomption. Notre demeure fut ainsi livrée à l'indécision. Raisonnablement, l'opinion du spécialiste anxieux l'emporta sur celle de l'optimiste. Il fut décidé que ma sœur et moi, accompagnées de notre institutrice extravagante et d'une femme de charge que sa pesanteur et sa modération flamandes nous rendaient plus chère, partirions pour Monte-Carlo. Nous devions y précéder de peu l'arrivée de ma mère et de notre indispensable ami, M. Dessus. Le septuagénaire irritable, dévot et crédule avec violence, de la

1 Anna de Noailles prévoyait de donner une suite au *Livre de ma vie*. Du second volume de ses mémoires, elle n'écrivit que ce premier chapitre, publié par *la Revue de Paris* le 15 décembre 1931, quelques mois avant sa mort, et non réimprimé depuis.

même manière que ses contemporains l'avaient connu voltairien, était prêt à tous les sacrifices pour soutenir par sa gaieté drue, sa bonhomie brutale, laquelle envers une enfant souffrante se montrait soudain galante, ma sœur affaiblie, au visage soucieux. Chez ma sœur, peu de semaines avaient suffi à transformer la hardiesse de jeune garçon qui la caractérisait en une mélancolie inquiète, dont était responsable, non seulement la maladie, mais encore l'assiduité protectrice dont elle était l'objet et qui répugnait à son caractère dédaigneux de sollicitude. Pour M. Dessus, quitter Paris, les archives de la Bibliothèque nationale, où il accomplissait un mystérieux et vain travail d'érudit qui fait fausse route et ne rencontre nulle créance, c'était témoigner d'un profond et tutélaire amour. Blessée dans ma tendresse et mon orgueil physique familial par la maladie de ma sœur, je ne pensais qu'à me dévouer à elle. J'eusse voulu rétablir au moyen d'une générosité indéfinie le niveau de chance qui jusqu'alors nous avait maintenues dans une situation d'égalité, elle, dotée d'une vigueur satisfaite, d'une courageuse insensibilité d'amazone, moi, favorisée par un don d'éloquence et d'exubérance, embuée de rêverie. Adolescente errant dans la forêt des fables, je rêvais aussi de la Méditerranée, que pour la première fois j'allais voir. Elle m'avait été décrite, en ces jours lugubres où se discutait notre sort, par un personnage d'allure étrange et forte, venu des bords du Danube, chargé d'hérédité grecque, M. Panaïote Pencovitch, avocat roumain, qui, à la mort de mon père, avait pris, en ce lointain pays, la direction des terres fructueuses dont ma mère connaissait à peine les noms et point du tout la valeur.

Il s'était, dès sa première rencontre avec ma mère, ma sœur et moi, pris pour nous trois d'une sorte de romanesque passion d'ermite amoureux. « J'aime les beaux yeux, avait-il dit, mon souhait est de ne vous quitter plus… » Chaque jour, nous le voyions arriver, les bras chargés de fleurs et de sucreries. Son visage, d'aspect peu soigné par la faute de sa chevelure hérissée et grisonnante coiffant un glabre ovale de couleur citrine, son corps épais et maladroit, rudement et pauvrement vêtu, n'étaient pas ceux d'un homme que la fortune a lésé, mais d'un sage. Sorte de Diogène épicurien qui jouit de la vie sans lui rien reprocher, il l'adoptait entièrement au lieu de la défier et de la rejeter. Avec une douceur d'enfant charmé, il en cueillait les roses et rendait un hommage incessant à la Vénus antique, constante et universelle.

Ce sont les conversations de ce solitaire original qui m'apprirent définitivement les mérites de la raison et le pouvoir de la beauté. Prudent en toute chose matérielle, afin de ne connaître aucune amertume ni déception, il portait, durant ses promenades, une canne mouchetée de brun et de blond, passée à son cou par un long lacet. « J'ai souffert, jadis, m'avoua-t-il, d'avoir égaré, sans la pouvoir retrouver, une canne en bois précieux qui faisait mon délice ; j'ai formé le vœu de ne plus avoir qu'un seul exemplaire de tout ce qui est utile à l'homme, et de me l'assujettir avec tant de précautions que je ne puisse en être séparé. Jouissons de la vie ; efforçons-nous de n'en point souffrir. » Un seul vêtement, une seule paire de chaussures, un seul chapeau composaient l'habillement de ce philosophe flâneur. Mais son amour pour la grâce des femmes ne connaissait point cette étroitesse ; il les chantait toutes comme Saadi ; les louait comme le fait, à travers son mépris de l'univers, l'Ecclésiaste. D'un cœur fanatique il révérait l'œil dessiné en forme d'amande dans le visage de la pauvresse comme dans celui de la reine. Nous le vîmes descendre de voiture au centre mouvementé de Paris, pour acheter, chez un fleuriste, un bouquet onéreux, qu'il offrit à la gracieuse marchande de journaux ambulante, dont il avait distingué le regard velouté. Respectueux et paternel devant notre extrême jeunesse, Panaïote Pencovitch, qu'on eût pu comparer à quelque bœuf humain pour l'épaisseur de la stature et la langueur innocente de l'expression élégiaque, se fit pour moi l'annonciateur de l'amour. Gravement, religieusement, il me décrivit, sans que la chasteté y pût rien trouver à redire, l'ivresse unique de la passion, autour de laquelle il voyait se déployer le monde : paradis terrestre, prêt à servir le couple éternel. Détaché de sa profession chicanière après un long et minutieux labeur, il avait quitté Bucarest, et, vigoureux animal, docile à la nature, il cheminait dans la direction du soleil. Les bords de la Méditerranée l'enchantaient. Il dépeignait ce que serait pour mes yeux, en faveur desquels il élevait un perpétuel encens, la vue de l'immense azur liquide, des orangers épanouis, des parterres de fleurs, printaniers en toute saison. Je l'écoutais comme le jeune Bacchus de Léonard de Vinci tend l'oreille au bruit lointain des Ménades. Des bois sacrés se levaient devant mon imagination. En nous installant dans le train, qui, au début de novembre, nous emporta loin de Paris, vers les fastueux rivages, et bien que préoccupée de la faiblesse de ma sœur et surveillant les châles dont on l'enveloppait, j'eus l'impression qu'on m'expédiait vers le bonheur.

Après avoir traversé, en rêvant à Frédéric Mistral, la Crau, paysage morne et pierreux, où des troupeaux de moutons imprégnés d'air salin semblaient envahir la côte comme une végétation laineuse ; après avoir vu, dans les environs de Tarascon, le soleil exalté frapper les vitres du wagon, cependant que de hauts cyprès montaient, sur les routes blanches, une garde bucolique, nous arrivâmes au coucher du jour à Monte-Carlo. Le parfum âcre d'une atmosphère froide et bleue ; le sec décor des palmiers, non luxuriants, mais comme dolents et apprivoisés ; le terrain rougeâtre, au-dessus duquel flottait la grisaille nébuleuse du feuillage des oliviers ; les blanches façades des hôtels ; le casino bombé, doré, dominant des terrasses où passaient des promeneurs élégants et légèrement vêtus, enfin le spectacle entier me brisa le cœur. Déçue, vaincue, je compris qu'il me faudrait vivre bravement, en surmontant à tout instant mon hostilité, dans ce paysage sans mollesse et sans chants d'oiseaux.

Quelle détresse que celle de deux enfants inquiètes, arrachées à la rassurante monotonie de leur vie habituelle et isolées sous un climat où les cieux, d'un azur insistant, semblent participer de la frivolité d'un groupement humain acharné à des plaisirs dont elles ne peuvent concevoir l'agrément ! Un accueil protecteur nous attendait pourtant. Recommandées au baron et à la baronne de S***, préfet et préfète robustes et joyeux sous le second Empire, à présent vieux couple retiré dans les honneurs et les cactus de Monaco, nous fûmes promptement secourues. Le baron de S***, grand Chambellan et gouverneur du Palais, s'employa à nous faire accorder une attention particulièrement empressée dans le vaste hôtel où nous séjournâmes avant de nous établir dans une villa.

Le baron de S***, droit et raidi sous le rhumatisme, les cheveux teints d'un noir douteux, à reflets indigo, nous étonnait parce qu'il ne parlait du souverain de la Principauté qu'en le nommant « mon auguste Maître ». On sentait que tout hommage rendu par lui à son chef le situait sur une hauteur que, seul, il ne se jugeait pas capable d'atteindre. Les propos courtois, soumis et inclinés du baron de

S***, que sa charge, agréable à ses goûts, saturait de plaisir, étaient en opposition minutieuse et joviale avec le digne et amer reproche, formulé immortellement par La Bruyère, et qui m'avait séduite au cours de mes études :

L'avantage des grands sur les autres hommes est immense par un endroit ; je leur cède leur bonne chère, leurs riches ameublements, leurs chiens, leurs chevaux, leurs singes, leurs nains, leurs fous et leurs flatteurs ; mais je leur envie le bonheur d'avoir à leur service des gens qui les égalent par le cœur et par l'esprit, et qui les passent quelquefois...

C'est dans le plus fervent abandon de sa propre personne et dans la joie que lui procurait l'élévation du souverain de Monaco, qu'il eût voulu altier et non modeste, comme l'était ce prince austère, généreusement dévoué à la science, que le baron de S*** puisait l'estime de soi-même. Peut-être ne faut-il pas juger sans sympathie cette faculté d'abolition personnelle que Goethe louait en son ami Herder, lorsqu'il disait : « J'aime l'homme qui sait se subordonner. » Mais il y a des abaissements et des fidélités qui haussent l'esprit et l'ennoblissent, d'autres qui ne font que révéler un besoin de quiétude, une satisfaction utilitaire et vaniteuse dans la dépendance.

***

Je ne devais pas me réconcilier avec l'hiver tiède, aigre, masqué de soleil et universellement vanté de Monte-Carlo. Je redoutais chaque jour pour ma sœur ce brusque évanouissement de la clarté, « ce brisement du temps », comme disent les Romains pour nommer le crépuscule, que les médecins nous avaient appris à craindre avec excès. L'anxiété où me jetait le froid clair du soir, redoutable m'avait-on affirmé, augmentait l'angoisse physique et la tristesse de l'âme que me causait l'heure du soleil couchant, sorte de mort immédiate de l'horizon et du paysage, heure si nue, si livide, que l'on peut la mettre en contradiction exacte avec ce vers frémissant d'Arthur Rimbaud :

L'aube, exaltée ainsi qu'un peuple de colombes !...

Notre station opulente et désemparée dans un grand hôtel, où affluait, toujours affairée, une brillante société cosmopolite, et que rendaient strident, le soir, des orchestres de tziganes habiles et ardents à viser le cœur, comme si ces violonistes de Bohême eussent été des arbalétriers, cessa lorsque ma mère arriva avec M. Dessus. La villa qui fut choisie avait cet aspect, cet arôme, et je dirais cette saveur triste des demeures légères et négligées, louées d'année en année, par des passants différents, qui s'y abritent sans s'y attacher. En vain un jardin cultivé sur une étroite terrasse nous offrait-il la présence délicate de poivriers verts et roses, de mandariniers, arbustes graciles jonglant avec des boules d'or, nous n'en avions pas moins le sentiment d'être des émigrées retenues prisonnières entre les minces murailles de la demeure, que pénétrait le froid du soir. Les cheminées, mal construites pour leur usage dédaigné, ne consentaient pas à nous procurer, sans répandre une fumée suffocante, ces gais feux de bois, résineux, sonores ou brasillant à voix basse, qui ajoutaient une poésie familière à l'automne fringant du lac Léman.

Mon lit, recouvert d'une moustiquaire, quand j'y étais étendue, mélancolique et rêvant, me laissait contempler le plafond de ma chambre, peint à l'italienne ; peinture craquelée, de couleur ocre, jonchée aux quatre coins de guirlandes de roses volumineuses, d'où s'élançaient, agile badigeon, de longs rubans bleutés. Ma mère, ayant fait venir un piano, s'étourdissait dans la musique, s'y ébattait, comme se baignent les naïades, et M. Dessus, à qui aujourd'hui encore j'en rends grâce, fut seul à comprendre la détresse de deux adolescentes situées soudain dans un milieu si opposé à la nécessité de leurs études, à leurs divertissements et à leurs songes. Le voisinage du Casino lui paraissait mystérieusement dangereux et tel que le serait celui de l'enfer ; il lui semblait que des vices ailés eussent le pouvoir de s'en évader et de venir contaminer les deux pauvres enfants de la villa étrangère, aussi à plaindre que des oiseaux des îles déportés dans une étroite cage d'osier. L'active raison de M. Dessus s'ingénia dès lors à organiser nos journées moroses et à en adoucir l'âpreté. Pour ma sœur, qu'il ne fallait pas fatiguer par le travail, il institua des jeux de cartes et le jeu de loto, si monotone pourtant, avec le monocle de verre posé sur les numéros gagnants, cependant que mes lectures studieuses faisaient l'objet de ses pittoresques et savants commentaires. Ne sachant quel adversaire salubre opposer au menaçant Casino, dont nous n'étions pas même curieuses, il s'adressa au clergé et souhaita pour nous la société des prêtres. Elle nous fut fournie par les desservants d'une neuve et somptueuse église où de jeunes hommes d'origine italienne, ayant droit au nom vénérable de Pères, alliaient les vertus de la vocation religieuse à la chaleur candide mais véhémente d'une race visitée par le soleil. Ces jeunes Pères, d'allure sportive sous la longue robe noire que leurs pas alertes balançaient en laissant apercevoir des chaussures de montagnards, n'étaient point insensibles à la présence de deux enfants féminines apparues brusquement dans leur paroisse. Bien que M. Dessus, obsédé chimériquement par le voisinage du Casino, s'obstinât à ne considérer en ces prêtres juvéniles que des envoyés de Dieu, et que ma mère, ingénue, excusât en riant leur chaste enthousiasme, il y eut, dans la villa mélancolique de Monte-Carlo, des scènes plaisantes et innocentes, où le pâtre ardent des coteaux napolitains se révélait, soudain, par l'éclat fiévreux du regard, par le vigoureux et affectueux serrement de main.

L'un de ces naïfs ecclésiastiques, abandonnant la lutte intérieure, manifestait chaleureusement sa prédilection pour moi. Au jeu de cartes, aux dominos, visiblement il favorisait ma chance. Débonnaire, désireux de prouver son dévouement, il parvint à me procurer des billets farouchement disputés pour une représentation théâtrale du célèbre ténor Jean de Rezské, dont le glorieux renom hantait mon imagination. Ainsi m'accointai-je du chef-d'œuvre de Berlioz, la *Damnation de Faust*, profond gémissement que fait entendre le gel de la vieillesse humaine, disposée à vendre son âme pour retrouver le verdoyant orgueil des années légères et triomphantes.

***

Un soir de mai, au moment de quitter enfin, pour cette année, Monte-Carlo, et souhaitant remercier le jeune abbé désintéressé qui nous avait retenu une cabine de wagons-lits réclamée par un grand nombre de voyageurs, nous allâmes, sous la direction de M. Dessus reconnaissant, visiter le jardin du séminaire et saluer ses hôtes. Je vis errer dans les chemins aromatiques, le bréviaire entre les doigts et se saluant silencieusement à chaque rencontre, ces jeunes hommes en lévites noires qui avaient fait le vœu de n'aimer que l'invisible dans les cieux. Plusieurs d'entre eux nous entourèrent tristement, étonnés que l'on eût à quitter un toit voisin du leur, à entreprendre un voyage. Celui qui m'avait témoigné un affectueux attachement saccagea des parterres de narcisses et de tulipes encore frêles ; il m'offrit ces dons du sol comblé avec un regard qui reportait sur moi une part de son âme vouée à l'inconnaissable. Je fus émue de sentir que la poésie régnait comme un astre mystique sur ce jardin d'où elle avait écarté sa rivale jumelle et redoutable : la passion humaine. Depuis le début de mars, j'étais sans hostilité envers les paysages du Midi, bien que j'eusse la nostalgie du printemps de Paris, du bois de Boulogne, si longtemps recouvert des froids brouillards de la Seine qu'on y sent jaillir avec difficulté, mais dans une obstination invincible d'amour, le vert crépitement des bourgeons sur les branches.

Si les mois hivernaux frais et clairs de la Méditerranée m'avaient désolée par cette espèce de contrainte de l'atmosphère, qui semblait s'efforcer de figurer les saisons heureuses, je fus subitement enivrée, étourdie par l'éclosion du printemps sur ces rives fortunées. De toutes parts les roses jaillissaient, amples ou exiguës, et formaient des bouquets de couleur jaune, incarnat ou orangée, qui s'épanchaient comme pour exprimer une ineffable tendresse. La tiédeur aérienne et la floraison propre aux Églogues en tous lieux rayonnaient. Les matins épandaient une joie dionysiaque, et, aux heures dégradées et sans cassure du crépuscule, une mollesse lascive et suave envahissait l'âme jusqu'à la souffrance. Des chats sauvages s'affrontaient et se querellaient amoureusement dans les jardins et les bosquets des parcs publics, que les ténèbres recouvraient, ne laissant émaner que les parfums et les soupirs de la volupté. Penchée au balcon de notre villa, jeune fille triste, intriguée, mystérieusement satisfaite, je plongeais un regard interrogateur dans l'avenir. Que promettait-il ? Quelle réponse donnerait-il à cette imploration de l'être humain qui, dégagé et oublieux de ses lointaines origines, torpides et misérables, est, dès l'enfance, exigeant, discerne sa valeur, estime l'infini de ses forces, rêve d'envahir par elles le monde ? Les jeunes et belles créatures, conscientes, en un tendre vertige, de la réussite que la nature a obtenue en les formant, pressentent qu'elles entendront murmurer avec ferveur vers elles :

Aimez ce que jamais on ne verra deux fois...

***

Pendant plusieurs saisons notre vie, que l'état de santé de ma sœur avait modifiée, fut attristée par nos séjours d'hiver dans la Principauté de Monaco, par les déplacements de l'été, où, délaissant les bords du lac de Genève dès que la chaleur diamantée y établissait ses délectables grésillements, nous gagnions les hauteurs de la Savoie ou de la Suisse. Là dans de vastes bâtiments de bois, hôtelleries que des châtaigniers et des noyers aux feuillages épais préservaient des rayons torrides, nous faisions la connaissance de familles italiennes et allemandes. Nous échangions avec elles ces regards où l'attraction et la curiosité se mêlent à la défiance ; mais ce sont bien ces présences étrangères et ces saluts solennellement prodigués qui nous rendaient tolérable l'ennui de l'altitude sapinière, mal compensé par l'excellence des pains variés, la pureté du beurre et du miel, qui se trouvaient en aussi grande abondance sur les tables des salles à manger que les trèfles et les grillons dans la prairie. Ma sœur, résignée, devenue craintive à l'encontre de son naturel hardi, semblait s'estomper dans la vie quotidienne, se retirer dans une muette solitude, tandis que, jeune fille éclatante, je sentais se dilater en moi une rêverie multiple, énergique, en dépit de ma santé déclinante dont ne s'inquiétait pas ma mère. Obsédée par ma sœur languissante, que les médecins surveillaient avec un zèle dont la minutie maladroite injectait en notre esprit de subtiles angoisses, ma mère ne s'apercevait pas de la lente souffrance dont j'étais, par le système nerveux – trame délicate, mais aussi arbre puissant, chêne miraculeux de la forêt de Brocéliande –, victorieuse.

Sauf les éloges qui m'étaient distribués, et que je prisais moins que je n'exigeais de toute part un immense, inouï et total amour, j'étais délaissée. Mais la nature entière, et ce je ne sais quoi d'indéfini qui me semblait réuni tendrement par-delà l'espace, se penchaient vers moi, me devenaient familiers. Je m'entretenais le soir avec les astres, assurée que les étoiles, dont la palpitation, comme balbutiante, me fascinait, faisaient descendre jusqu'à moi un fraternel salut. Dès le matin, je bravais la clarté d'or du jour ; des messages s'élançaient de mon cœur vers elle avec la certitude que des liens ancestraux nous tenaient rapprochées, et lorsque j'appris ce vers de

Leconte de Lisle :

J'irai m'asseoir, parmi les dieux, dans le soleil

j'eus le sentiment d'avoir, depuis l'enfance, accompli ce bondissant trajet.

Satisfaite de ma personne physique qui me plaisait comme plaisent les fleurs, les images, les romans, je lui savais gré de me charmer, car, pour les dons de l'esprit, avec ingénuité et un sens critique bien établi, qui n'excluait ni la timidité toujours enfantine, ni la sincère modestie, je n'hésitais pas à les juger amples et radieux. Intrépide par l'imagination, je m'alliais à tout ce qui est prospère, vivace, triomphant. Je me sentais habitante privilégiée de l'espace. L'univers était mon domaine, je ne songeais pas à lui reprocher d'être fortuit, éphémère, mortel. La métaphysique vaine et désespérée, qui, par la suite, devait m'envahir et m'apitoyer sur le sort de toute créature comme sur le mien, ne frôlait pas ma pensée, aussi fermement nouée aux apparences que le fruit l'est à la branche. Souvent je ressentais cet élan mystérieux vers un appel indiscernable, ou bien ce désir de fuite farouche qui sont l'essence même de la provocation et du refus dont se compose l'émouvante instabilité féminine. C'est surtout lorsque me parvenait le chant du piano de ma mère que, mon esprit reposant dans une paix immense et vermeille, comparable aux plaines paisibles où ondulent les blés en été, j'imaginais le désordre et les tragédies de l'amour. La musique, sans déranger mon indolence enveloppée de fierté, la peuplait. Sauf la souffrance physique, je n'avais qu'à me louer du destin. Et, pourtant, le cœur transpercé par les rythmes et par la mélodie, je pressentais, sans les craindre, ce que je devais appeler plus tard, en un vers mélancolique écrit dans un poème composé sous les camphriers chargés de palombes de l'Isola Bella :

Les enivrants malheurs pour lesquels je suis née…

***

Après trois années de soins dispensés à ma sœur – soins à la fois favorables et nocifs, car se traiter soi-même implique une justesse et une prudence finement animales, tandis qu'être traité par l'étranger comporte une somme infinie d'erreurs –, j'eus le bonheur de voir ma sœur complètement rétablie. Il ne devait lui rester, pour quelque temps, de la maladie qui nous avait tous bouleversés, qu'un travestissement de son esprit, devenu pusillanime, et dont souffrit lucidement cette ferme intelligence, ébranlée par les craintes qu'on avait cru utile de lui inculquer.

Nous nous retrouvâmes en novembre à Paris, dans l'hôtel de l'avenue Hoche. J'allais avoir dix-sept ans. Il semblait que la vie voulût se réorganiser comme auparavant ; je pensais retrouver les cours de piano et de musique de chambre où, perdant bien vite, par enthousiasme, toute mesure, je menais le *Trio de l'Archiduc*, de Beethoven, avec violence, comme on voit s'accélérer déraisonnablement le rapide mouvement des carrousels ; j'allais aussi, me disais-je, reprendre ma place au cours de littérature hebdomadaire, séances vénérées, qui me mettaient en face de professeurs réputés, traitant des écrivains de génie, mais dont nul ne fit jamais, dans ses conférences, lectures et commentaires, une seule citation expédiente !

Et je me réjouissais puissamment, bien que déjà souffrante au point que le repos eût dû me sembler tentant comme est attirant l'abîme, si je n'avais possédé une énergie venue des cieux, des succès que me promettait le jour de réception de ma mère. Dans le salon de peluche bleue, meublé de sièges et de canapés dorés, j'avais vu, depuis mon enfance, entrer des hommes aux noms illustres, qui m'engageaient à mêler ma conversation à la leur. Là, tandis que je causais avec eux, sentant en mon esprit des conducteurs agiles diriger nettement vingt chars aux chevaux impétueux qui s'élançaient tous sans se heurter, sur une piste vaste et claire, je m'appréciais.

Ces instants allaient donc revenir ! Le soir, quand nous étions seuls avant l'heure du dîner, je faisais part à mon frère et à ma sœur de l'opinion que j'avais des dons que le destin m'avait accordés ; je les exposais comme on constate ce qui est en dehors de soi, ne vous appartient pas, ne rend point vaniteux. Dès ce moment je méritai la phrase tendre et sage, construite dans l'observation plaisamment aiguë, mais enveloppée d'indulgente amitié, que m'écrivit un jour, la dernière année de sa vie, Maurice Barrès : « Croyez bien, madame, que je pense de vous tout ce que vous en dites... » Il devait en être autrement. Épuisée par la dépense de sensibilité que j'avais faite pendant tant de mois difficiles, habitée par cette énigmatique et débutante maladie qu'était l'appendicite, en ce temps-là méconnue jusqu'en ses évidents symptômes, je dépérissais. Ma mère, mon entourage n'y voulurent pas voir autre chose qu'un état d'insatisfaction, de rêverie élégiaque, d'incompatibilité de l'âme avec la vie. C'est alors que le courage des jeunes êtres est sommé de donner ses preuves : le mien fut absolu. Ma pensée étant occupée par les lectures que je faisais tout le jour, et le soir à la lueur d'une bougie, de Montaigne, de Flaubert, de Balzac, du sec Mérimée au style net et capiteux comme la noire vanille, de Barbey d'Aurevilly, saison des vins, versés dans des gobelets d'or, il ne me venait pas à l'esprit qu'un mal physique, pour violent qu'il fût, ne pût être surmonté. De même que mes premiers poèmes étaient tout empreints de la pensée de la mort sans que jamais je me la figurasse, et que je n'aie cru en elle que bien plus tard, au bord du lit d'un enfant de vingt-trois ans, le charmant Henri Franck, sur le cœur de qui je disposai, avec ce calme et cette acceptation momentanée des douleurs qui, peu d'instants après, s'irriteront pour ne se refermer point, de minces branches du pâle lilas de février, – de même je ne concevais pas que les puissants attraits de l'existence n'eussent pas le pouvoir de recouvrir la souffrance quotidienne. J'intimais aux épuisantes insomnies, à cette torturante inimitié de nous-mêmes envers nous-mêmes qu'est la lésion de la profondeur du corps, l'ordre de m'être asservies. Mais les médecins s'inquiétèrent de mon apparence chaque jour plus altérée, et une sorte de bataille s'institua entre eux pour savoir de quelle manière, sans s'aventurer jusqu'à l'opération, pourtant seule raisonnable et que je réclamais, on pourrait me venir en aide.

Quand l'être humain est libre, en âge de décider de son sort, et que la vigueur de la pensée lui permet de recourir aux bienfaits des résolutions réfléchies et rapides, il se réjouit d'engager le combat. J'ai dit récemment à l'un de mes compatissants médecins – et je révère en eux tous mes plus indispensables amis : « Si un malade vous appelle à son chevet, consultez-le… » Cette collaboration de celui qui souffre avec celui qui s'efforce de guérir est interdite à l'enfant, à l'adolescent. L'homme qui a traversé une longue part de la vie en secourant par sa science et ses décrets des créatures à l'abandon est enclin à négliger ce que tout organisme énergique possède de connaissance de soi, d'infaillible inspiration. Il se peut que ceux qui nous voient le plus souvent et nous aiment le plus tendrement n'entendent pas nos voix – ces voix qui déjà nous viennent d'ailleurs, comme Jeanne d'Arc, contemplative, les percevait dans la fluidité de l'horizon natal.

Qui dira le miracle du sauvetage des jeunes êtres livrés à l'opinion et aux décisions d'un groupe familial toujours inadapté à eux, et dont ils parviennent à atténuer l'action par la philosophie intime et chuchotante de l'extrême jeunesse, par la bravoure perspicace qui les anime et leur fait choisir impérieusement l'antidote d'autrui, comme aussi par cette résignation si touchante qui ressemble au sommeil salutaire et reconstituant des fakirs. La soumission qu'obtient difficilement mais fermement de soi l'être très jeune donne la mesure de sa constance dans le sentiment de l'honneur et de la fierté. Réservée dans mes plaintes, je m'appuyais sur l'amitié puissante des mots, je leur obéissais. Au pied de mon lit j'avais suspendu, de manière à le pouvoir toujours regarder, un feuillet de papier où j'avais écrit ces vers illustres de Vigny :

Gémir, pleurer, prier, est également lâche,
Fais énergiquement ta longue et lourde tâche...

et encore cette phrase de Dostoïewski : *Celui qui souffre davantage est digne de souffrir davantage...*

Sans l'aveu fait aujourd'hui, comment croirait-on que c'est entre la faiblesse physique et les larmes que j'élevai vers la nature des actions de grâces ruisselantes d'amour ? Je m'étais juré de combattre le destin ennemi, et j'y parvenais, *non par ma propre force, mais par celle que me communiquait un dieu...*

***

Ce n'est pas seulement en mes indications si précises d'un mal physique que je ne rencontrai ni créance, ni divination.

Passionnément aimées par notre mère et ses amis, il ne nous avait pas été donné de parvenir à leur prouver que notre institutrice française, récemment installée auprès de nous, n'était pas dans son bon sens. Si fort favorisait-on à cette époque le sentiment du respect envers les éducateurs, qu'une plainte formulée contre eux apparaissait presque aussi séditieuse que la doléance du soldat qui se voit blâmé et condamné pour avoir constaté humblement l'erreur ou l'injustice de celui qui commande.

Mademoiselle Marguerite Pierre, à laquelle ma sœur et moi étions parfois aussi totalement confiées que de jeunes et doux lionceaux à leur propriétaire, unissait à une nature vigoureuse et souvent joviale une maladie mentale surgissante, que nous n'avions pas tardé à discerner. « C'est un caractère pittoresque et doué de fantaisie », affirmait ma mère, avec bienveillance et distraction, lorsque nous lui décrivions l'étrange comportement de cette vive Franc-Comtoise, que Besançon, sa ville natale, avait dotée d'un brun regard d'Espagnole, et de ce qu'elle appelait « le tour de hanche », ou bien quand nous exposions la surprise et la frayeur que nous causaient, dans la nuit, à travers la cloison de nos chambres contiguës, des airs d'opéra, clamés par elle à tue-tête, en plein sommeil. Nous ne nous trompions pas ; mademoiselle Pierre, en qui on pouvait apprécier des moments de zèle et de dévouement, et jusqu'à de spirituelles reparties dans la conversation, révélait à ma sœur et à moi, qui vivions auprès d'elle, un déséquilibre saisissant. Son trouble intellectuel prenait des formes variées : par moments, elle tenait des propos si dénués de décence qu'ils éveillaient en nous une pure et sévère indignation ; d'autres fois, la religion, la patrie, la bravoure trouvaient en elle une panégyriste frémissante, comme si ces hauts sentiments eussent été attaqués. Elle manifestait avec éclat en leur honneur, et on eût dit, à la voir s'exprimer et s'émouvoir, d'une Thérésa exaltant le sublime de l'âme, devant un public de café-chantant.

Nous vécûmes désolées par cette présence, mêlée de mérites et de redoutables bizarreries, dont nous avions fini par accepter la gêne, de la même manière que l'on se résigne à recevoir les coups de croc d'un bouledogue sournois, apprécié par ses maîtres.

Peu de temps après mon mariage et celui de ma sœur, la folie de mademoiselle Pierre éclata tout de bon. Elle se croyait fiancée à Don Carlos ; signait ses lettres Duchesse de Médinacelli ; s'attristait pendant des journées entières sur ce qu'avait été le sort de la mère de Renan, qu'elle appelait « le renégat » ; commandait deux cents glaces chez le pâtissier, et priait le pharmacien de lui confectionner des cachets de poudre bleue, favorable, disait-elle, à la clarté de son teint. Trouvée un matin d'hiver, complètement nue, chaussée de babouches, sur le toit d'une pension de famille, où ma mère l'avait confortablement logée, elle dut être internée. Nous eûmes la satisfaction de savoir que sa démence, à quoi la mort seule mit un terme, fut sans alarme. Mademoiselle Pierre avait, par le délire heureux, habité les régions irréelles de l'omnipotence, où se cé- lèbrent des mésalliances qui ne rencontrent aucun obstacle. Ainsi, la délicatesse et la pureté de notre adolescence avaient connu l'aventure exceptionnelle de la cohabitation avec un organisme chaviré ! Mais la prime jeunesse, même touchée par la maladie comme l'avait été celle de ma sœur, et comme l'était la mienne, est si puissante, qu'elle tire profit de ce qui devrait lui être nuisible. C'est bien à mademoiselle Pierre, déjà engagée sur la route de la folie, que je dus, lorsque j'avais quinze ans, le bénéfice de limpides leçons de mathématiques alternant avec un résumé, fait par elle, à haute voix, des savants volumes d'histoire de Maspéro, dont j'étais distraite soudain, à l'heure matinale, par le volcan bleuâtre de l'île de Corse, pour moi vision divine que laissait paraître vaguement la disposition au levant de notre villa de Monte-Carlo.

Mademoiselle Pierre, non dénuée de goût littéraire, mais im- propre à sa tâche, autorisait la lecture des romans sensuels d'Ana- tole France, de Paul Bourget, de Pierre Loti. Nous aimâmes pré- cocement le couple âpre et voluptueux du *Lys rouge*, l'héroïne de *Mensonge*, animal civilisé, qui, parée des diamants obtenus dans l'amour vénal et du sang romanesque d'un naïf amant éperdu, n'en conserve pas moins l'attitude bienséante d'une jeune femme à sa toilette dans un tableau de Stevens. Je me détachai plus tard de cer- tains volumes dont les intrigues m'avaient enfiévrée, sans jamais me déprendre de la passion que m'inspirèrent le génie de Loti, les noms de Rarahu, de Fatou-Gaye, le pays de Bora-Bora. Mais, bien que savourant la liberté que nous donnait en sa démence made- moiselle Pierre, nous lui étions inébranlablement hostiles, nous réprouvions avec sagesse ses complaisances.

Ma sœur, mieux que moi, s'accommodait de cette étrange direc- trice de l'âme qu'elle repoussait, alors que je m'obstinais à vouloir modifier sa déraison ; mes vains efforts ajoutaient à ma tristesse. Aussi est-ce avec une institutrice allemande, monotone et compassée, que je fus envoyée à Pau par les médecins, lorsqu'ils comprirent que la poésie n'était pas responsable du dépérissement d'une jeune fille née robuste et dont le visage avait eu la rondeur de la rose. Autant le radieux hiver de Monaco m'avait autrefois consternée, dérangeant en mon cœur l'ordre des saisons et le mystère qui émane de chacune d'elles, autant je me sentis dans un filial séjour au pays béarnais. Je m'imprégnais avec tendresse de ce climat de naïade humide et caressant, j'aimais la végétation gorgée d'eau, les noms des villages et des contrées, tous énigmatiques, pareils à des vers de Gérard de Nerval, vers magiques, où, ravi par leur sonorité et les songes qu'ils suggèrent, on se sent dédaigneux d'histoire et de géographie et comblé d'un mystère qui leur est supérieur. Quel vocable séduisant dans la Bible dépasse, en poésie religieuse, les syllabes de Bétharram, l'appellation de *Vallée heureuse* ? En quelle contrée situerait-on les idylles des poètes grecs mieux que sur les collines légères de Gélos et d'Argelès ?

Un calme, qui naît de l'espace traversé de molles ondées, dispense à l'esprit, en ces lieux captivants, un bien-être qui tient d'un doux sommeil éveillé, au cours duquel l'âme ne formulera ni reproches ni souhaits extrêmes. Le voisinage de l'Espagne contrastant avec celui des eaux bénies de Lourdes berçait mon imagination de songeries multiples, et, pour la jeune fille souffrante et dépendante que j'étais, la proximité de ces paradis, qui ne semblaient point hors d'atteinte, enchantait sans l'enfiévrer ma curiosité rassurée. Que j'ai aimé ces surprenants et vigoureux arbustes aux feuilles vernissées, les camélias, chargés de fleurs que je n'avais connues qu'en satin pâle et cramoisi dans les parures de ma mère, et de l'existence véritable desquels je doutais encore ! Ces camélias, et de légers bambous, au feuillage découpé en vol d'hirondelles, donnaient à la campagne argentée de décembre un aspect fabuleux d'immense paravent de Chine. Je devais ne jamais les oublier. C'est ce décor et un couvent de religieuses situé dans les environs de Pau, que, par réminiscence, j'eus plusieurs fois devant mes yeux, lorsque j'écrivis « le Visage émerveillé ». J'avais été confiée, pour ce séjour solitaire dans les Pyrénées, à une vieille fille du Mecklembourg-Schwerin, qui, depuis quelques mois, nous donnait des leçons d'allemand. Ses mérites austères l'avaient fait choisir par ma mère lorsque se posa le difficile problème d'envoyer une adolescente malade dans une contrée où elle n'était recommandée qu'à un médecin, occupé sans répit. Mademoiselle José Ehmsen était de ces Germaines sensibles de jadis, qui, fidèles historiquement à leur patrie, ne pouvaient y vivre, et à qui le climat de la France, fût-ce celui de Paris avec ses pluies négligentes et ses jours brumeux, paraît comme seul favorable à la respiration. Oubliant soudain son attachement au pays natal, qu'elle regagnait en été, elle me faisait des hivers du Mecklembourg une description qu'on eût pu rapprocher des images du Groenland. Mademoiselle Ehmsen, aux cheveux blonds ternis, aux yeux clairs sans éclat, représentait d'une manière précise et idéale la vierge ignorante, sérieuse, enjouée, qui n'a pas eu de tentations. Poétique de nature, comme le sont souvent les Allemandes, d'éducation parfaite, ce qu'elle avait de prodigieusement timoré donnait du charme à sa personne, dans l'ensemble insignifiante. La quarantaine lui paraissait être un âge grand-maternel, qu'elle se félicitait d'avoir atteint sans orages, comme un voyageur sort indemne de la jungle où rôdent les serpents et les fauves. L'amour, dont elle ne parlait que pour citer d'heureux ménages, ou pour plaindre à voix basse, et tristement, des ménages en proie à la mésentente, ne troublait pas son esprit.

Non contente d'être vêtue d'une robe de laine sévère, mademoiselle Ehmsen se complaisait dans la surcharge de la parure ; elle recouvrait son corsage d'une mantille espagnole faisant l'usage d'un châle, et lorsqu'elle se trouvait en présence d'un homme, elle déployait un large éventail. Je la vis ainsi au repas de midi, un jour d'hiver, avenue Hoche. On sentait qu'elle éprouvait le plaisir de la sécurité dans cette dissimulation de sa personne. Peut-être la pureté absolue rend-elle étrangement craintives les créatures obsédées par la chasteté, et sans doute Fräulein Ehmsen, ignorante et honnête comme une fille de onze ans, se croyait-elle par moments, sans que son subconscient portât à sa connaissance ses inquiétudes, un sujet de coupable convoitise. En tant que participant de l'Ève éternelle, elle craignait, à son insu, d'être une tentation involontaire, un péché ambulant. Mélange de candeur absolue et de défiance par elle insoupçonnée, c'est à Fräulein Ehmsen et à ses vertus que je dois pourtant ma première rencontre avec la convoitise de l'homme, brutalement formulée. Comme nous nous promenions un dimanche matin, elle et moi, au sortir de l'église, sur la terrasse de Pau, un couple parisien connu de ma mère, qui avait appris ma présence, s'approcha de nous, et, après de conventionnelles politesses, me pria de le rappeler au souvenir de ma famille par le prochain courrier. Ce n'était là que naturelle et bienséante courtoisie, mais avec l'œil promptement expert des jeunes filles, je m'étais aperçue que l'époux, âgé d'une soixantaine d'années, de taille élégante, le visage d'un rose soutenu, au regard doucement fourbe éclairant un ensemble de poils gris, avait considéré longuement la jeune fille que promenait Fräulein Ehmsen. Le soir même il déposa des cartes à l'hôtel pour ma gouvernante et pour moi, et fit demander s'il ne pourrait pas nous rendre visite le dimanche suivant, à l'heure du thé. Fräulein Ehmsen, cœur excellent, que ma solitude désolait et qui croyait que le renom que j'avais acquis déjà dans la poésie nuisait à ma réputation, qu'elle eût préférée tout unie, fut maternellement heureuse de ce témoignage d'intérêt. Elle jugeait l'empressement de l'alerte sexagénaire profondément estimable et propre à faire oublier au médecin qui me soignait, et qu'elle révérait, les poèmes ingénus que j'avais écrits et dont elle restait anxieuse. Fräulein Ehmsen prépara en son esprit, pendant toute la semaine, avec la ferveur et l'attention hospitalière qui lui venaient de son pays comme de son éducation, le thé et les biscuits qu'elle se réjouissait de présenter à notre hôte. Elle fit d'innombrables fois le trajet qui séparait mon appartement de la loge du portier ; car, ayant été frappée, dès notre arrivée à Pau, par la vigoureuse jeunesse de ce méridional lustré, qui, jovialement, de ses bras robustes, avait soulevé nos bagages pour les installer dans nos chambres, elle avait décidé qu'elle seule monterait les lettres et les journaux jusqu'à moi, et que ce loup humain ne pénétrerait point dans la bergerie dont elle avait la charge. Le dimanche du goûter prévu arriva. Mademoiselle Ehmsen, joyeuse, avait revêtu un élégant et sombre costume, l'avait recouvert de la mantille, qui lui semblait honorer l'étranger, et m'embrassant affectueusement, tandis que j'endossais une robe à qui mon plaisant visage donnait un agrément qu'elle seule n'aurait pas eu : « Ah ! s'écria-t-elle, mon enfant, c'est un oncle qui vient nous voir aujourd'hui ! » En son pays, cette dénomination familiale est accordée aussitôt, avec un tendre respect, à tout homme grisonnant et amical. « Faites de votre mieux, ajouta-t-elle, pour qu'il soit à même d'apprécier le charme de votre cœur et de votre pensée. »

Vers quatre heures, l'homme grave, mais coquet, que Fräulein Ehmsen appelait un oncle, entra. Je m'aperçus immédiatement que la sympathie extrêmement galante que je lui avais dès l'abord inspirée ne s'était pas éteinte en lui. La table à thé, le vase de fleurs gracieusement disposés par mademoiselle Ehmsen ne paraissaient pas l'intéresser. Les prévenances de la duègne semblaient, au contraire, le mettre mal à l'aise. Mélancolique depuis plusieurs semaines, dans cet hôtel, dont les larges fenêtres laissaient voir un paysage brillant, composé de prairies onduleuses et des flots du Gave bruissant, que souvent le soleil d'onze heures rendait exaltants, je m'étais patiemment ennuyée, non faiblement, mais avec une puissante rêverie. À personne je n'avais pu confier ma tristesse, que mademoiselle Ehmsen, quand elle en remarquait la présence, croyait chasser d'un baiser furtif, accompagné de quelques axiomes stoïques et chrétiens, à l'usage de la jeunesse.

En cet après-midi de dimanche, j'eus le pressentiment qu'une diversion, dont je ne m'exagérais pas la valeur, allait m'être offerte. Notre visiteur était chez nous depuis peu de temps, lorsque je devinai que seule l'absence de Fräulein Ehmsen me laisserait entendre des paroles passionnées, dont j'eus soudain comme un besoin avide. Avec astuce, je la priai de bien vouloir faire une réclamation au portier ; ce que l'innocente et aimable créature accepta de bon gré, disparaissant par la porte, légère comme l'oiseau. C'est alors que le vieil homme dispos, ne pouvant contenir son aveu, me fit écouter les déclarations les plus ardentes, avec une qualité d'épithètes qu'évidemment je n'avais pas pu soupçonner, si bien que le retour de Fräulein Ehmsen me combla de satisfaction. Mais dès que je fus en sécurité, je ne regrettai point d'avoir entendu des phrases enflammées, dont l'essence et l'écho me baignaient de plaisir.

Le soir, lorsque s'établit la tranquille atmosphère qui présidait d'ordinaire à notre dîner modeste, je ne pus m'empêcher de révéler à Fräulein Ehmsen mon aventure de l'après-midi. Absolument convaincue de l'impossibilité d'une si répréhensible conduite chez celui qu'elle avait appelé un oncle, et dont l'apparence et la situation sociale, dont elle tenait toujours compte, lui avaient inspiré le plus sûr respect, elle demeura un long moment incrédule. Son honnêteté préféra supposer que j'inventais un récit délictueux, qu'elle mettait sur le compte d'un état maladif et imaginatif de jeune fille, correspondant au goût que plusieurs d'entre elles ont pour le citron amer, le vinaigre, les fruits acides, plutôt que d'admettre l'audace injurieuse d'un homme qu'elle avait, avec déférence, introduit joyeusement auprès de l'adolescente commise à sa garde. Lentement, Fräulein Ehmsen se laissa persuader par sa propre raison, dans les méditations d'une nuit qu'elle déclara affreuse, de l'exactitude des confidences que je lui avais faites. Pendant plusieurs jours le monde perdit pour elle son aspect coutumier, harmonieux et loyal. Elle douta de la solidité de la terre et des astres, de l'équilibre des sentiments humains et se crut le jouet de diableries iniques. Notre séjour à Pau, en dépit des aspects ravissants de la nature, apportés par le jaillissement des mois de février et de mars, ne lui rendit point l'allégresse naïve dont elle avait, avec bonté, entouré mon dépaysement.

Je fus seule à me réjouir du frémissement printanier qui parcourait la campagne, comme aussi des ébats de la foule enfantine qui, après l'heure du catéchisme, se répandait dans les rues charmantes de Pau. Fräulein Ehmsen restait insensible à tant de grâces. Elle avait, depuis la visite rendue par un don Juan flétri à une adolescente énigmatique, perdu confiance en la jeunesse et la vieillesse des hommes.

***

Au moment de rentrer à Paris, au début d'avril, et comme le repos qu'on avait exigé de moi n'avait évidemment marqué aucune amélioration dans mon état, l'appendicite dont je souffrais ne pouvant que s'aggraver, je décidai romanesquement d'aller à Lourdes. Il m'était difficile de croire que le miracle de la guérison s'opérerait en ma faveur ; je me représentais toute l'humanité souffrante élevant vers le ciel ce même vœu de soulagement, et je n'acceptais pas d'admettre que parmi tant de dédaignés et de sacrifiés, je serais l'élue. Mais la poésie de la rencontre de Bernadette avec une dame céleste imaginaire, dans un pays qui me séduisait par ses montagnes et ses sources, me permit d'aborder la station sainte dans un sentiment de piété. Par un matin favorable au décor des altitudes bleues comme la gentiane et nettement découpées sur un ciel argenté, je fis un pèlerinage respectueux, sinon dévot. N'ayant point espéré, je ne fus point déçue. La vierge de Lourdes, en plâtre colorié, les pieds ornés de roses et non point posés sur l'arabesque irritée de l'antique serpent, me plut par sa simplicité de fée rustique, que l'on fêtait dans la grotte bénie, par une humble moisson de béquilles : hymne éloquent de reconnaissance, attestation de la puissance de la foi, de l'action de l'esprit sur le corps, que jamais je ne songerai à nier. Dès mon retour à Paris, un bonheur que je n'avais pas encore envisagé transfigura mes jours. Ma sœur, qui avait exercé avec intelligence et vigueur sa domination sur le cerveau troublé et désormais soumis de mademoiselle Pierre, me témoigna une tendresse impulsive que jusqu'alors elle n'avait pas révélée. Si deux êtres du même sang, chez qui tout a tendance à la parité, se font soudain totalement confiance, ne mettent aucun obstacle à ce commun torrent ancestral qui les entraîne sur la même pente, ils obtiennent dans l'amitié une perfection à laquelle nulle autre ne se peut comparer. Leur esprit jumelé, la substance identique qui compose leur être charnel, un rythme semblable dans l'éducation créent un double et perpétuel écho. Nous vécûmes dans un constant partage : je jouissais de tout de moitié avec elle, échangeant et possédant ainsi l'entier de chaque chose. Nos lectures, nos observations, nos certitudes, allaient d'un pas égal. Ce qu'il y avait de différent en chacune de nous prenait plaisir à se modifier, à s'inonder de clarté pour être par l'autre adopté. L'aptitude à la limpide confidence était née en nous deux. Nous fûmes chacune déchargée de cette solitude de l'individu qui est le véritable obstacle à la joie, à l'oubli des soucis, à l'acceptation de l'adversité. Un sens pareil de l'observation, de la délicatesse et du comique, une sensibilité différenciée principalement par des nuances de vocabulaire nous permettaient de ressentir et de décrire ensemble tout ce qui frappait notre vue et notre cœur. Nous étions deux jeunes glaneuses qui portent ensemble la corbeille où elles ont jeté la récolte du chemin, qu'elles se disposent à trier dans la douce intimité. Nous connûmes la gaieté épanouie, la joie d'être des miroirs vivants ; nous fûmes heureuses.

Je devais plusieurs fois dans ma vie rencontrer des esprits fraternels, nobles, sérieux et rieurs, riches de culture, qui me rendirent sacrée cette phrase de Goethe : « Là où sont nos égaux, là seulement est notre bien. »

Ces cœurs magnifiques, par l'attachement qu'ils surent m'inspirer, atténuèrent le culte effréné que, dès le plus jeune âge, je portais à la nature, et qui sans doute avait été l'attente et le pressentiment des réciprocités humaines, désormais triomphantes.

Avec la gravité d'une prise de voile, de l'ordination, je me vouais à la contemplation des âmes qui s'abandonnaient à moi. Je goûtais en elles l'univers qu'elles reflétaient ; je ne désirais pas d'autre éternité.

Combien de fois ai-je dit, tandis que ma main reposait dans une main secourable et tendre : « Rien au monde ne m'est plus cher que les trente-sept degrés de la chaleur humaine !... » Ces présents insignes que m'avait accordés le sort : faveur, naturelle par ma sœur, généreuse par le hasard, des rencontres parfaites, devinrent la proie de la mort. Je connus ainsi la fin de soi-même, le désert, l'amputation invisible et sans borne. C'est avec une véracité que le temps n'altérera pas, que j'ai pu écrire, en une courte formule dédaigneuse de tout développement, ces vers :

Je n'ai pas su quand le jour point,
Quand le soir se glisse au dehors,
Et nul n'a jamais à ce point
Tenu compagnie à des morts...

***

Ma sœur et moi, elle ayant seize ans, moi dix-sept, nous profitions souvent de la liberté que notre mère nous octroyait, tant par les dispositions de son cœur, toujours acquiesçant, que par l'enchaînement où la tenait la musique, pour faire usage d'un landau dont le robuste profil évasé, qui se continuait par l'élévation de la silhouette du cocher, du valet de pied, et le prolongement de chevaux superbes, mais vieillis, ferait aujourd'hui sourire. Nous allions en cet équipage voir des amis, toujours nos aînés.

Dès notre enfance nous sûmes apprécier cette faveur du destin qui met des êtres puérils en relation familière avec des esprits doués de surprenante supériorité, ou bien parés de l'expérience et des épisodes d'une longue carrière. Parmi eux apparaissait, les dominant, et aussi remarquable par la pensée que par l'allure, le prince Edmond de Polignac. Je ne peux apparenter à nulle figure cet aristocrate sans autre compagnie intime que celle de divinités ineffables, et qu'une constante et personnelle Prière sur l'Acropole rendait à la Démos antique. Nourri de Diderot et de Voltaire aussi bien que du génie grec et latin, c'est avec la précision d'un élan d'oiseau que sa sensibilité venait se poser et frémir dans la neuve forêt où Mallarmé fait croître, au moyen des irisations verbales, *Une rose dans les ténèbres*, presse dans notre imagination *le citron d'or de l'idéal amer*, et, retournant aux premiers temps du monde, libère et détache du chaos :

Le vierge, le vivace et le bel aujourd'hui...

On sentait le prince de Polignac lié d'amour avec la sainte Ursule de Carpaccio comme avec la Dona Elvire de Mozart, s'épuisant en cris de colombe blessée, sous le masque vénitien. Une part de sang anglais donnait à la curieuse personne de notre ami sa haute taille élégante dont la maigreur semblait d'ivoire, une aisance imperceptiblement dédaigneuse, une justesse attentive, un raffinement d'apparence négligente que révélait un vêtement de couleur inusitée, ample et flottant, un vaste et soyeux mouchoir d'indienne qu'il déployait à la manière britannique, d'un geste qui saurait lancer le disque. Le gant et la chaussure, volontiers trop larges, avaient toujours cette nuance blonde et fumeuse des valises qui gardent le parfum révélateur des enregistrements de Calais et de Douvres.

Doué pour tous les arts, comme l'est en général une intelligence logique et sensuelle, cet amateur de philosophie, de peinture, de poésie, ce satiriste, ce voluptueux, ce gourmand abordait à son île et à son sommet dans la musique. Là, cet esprit finement et profondément universel atteignait une maîtrise dont lui-même était certain, sans vanité, sans modestie, comme lorsque les peintres disent de leur métier, avec un sens hermétique, jaloux et méprisant : « Il faut être du bâtiment... » Aux heures de son inspiration musicale, il semblait couronné invisiblement, dans l'altitude aérienne, par le chant des anges de Parsifal.

Ma sœur et moi nous le contemplions avec cette jubilation qu'on éprouve à considérer qui règne dans le domaine de la pensée et dispense la sécurité avec le plaisir. Perpétuellement visité par cette chance que l'on appelle l'esprit, le prince de Polignac était néanmoins voué à la ferveur, à cette sorte de religion de l'exquis à laquelle il devait de n'être étranger à aucun sentiment. J'entendis ce sceptique définir par ces mots émouvants la vénération que lui inspirait le sacrifice de la Messe : « J'aime, en la religion catholique, ce qu'elle a d'argent et de violet… » Il est vrai que les préceptes de l'Église béatement adoptés pouvaient aussi l'irriter, et s'il entendait prononcer avec trop d'obséquiosité envers les mystères célestes ces mots : « le bon Dieu », – « Pourquoi *bon ?* » répliquait-il, avec brusquerie, apitoyé soudain sur l'infinité de la souffrance humaine.

À Amphion, nous le voyions, en octobre, avant l'heure du déjeuner, arpenter l'allée des platanes, bâtie sur le lac, et, dans le tourbillon des feuilles tombantes, attachées toutes deux à ses pas, nous écoutions respectueusement cette voix au rire amer et enchanté, d'où découlait la sagesse comme la fantaisie charmée. Sans âge, eût-on dit, et par-là même à l'apogée persistant de sa vie, il avait pris part activement à la campagne électorale nancéenne de Maurice Barrès, tout jeune homme, dont le nom, alors, ne retint pas mon attention. Le seul livre que j'avais lu, à quinze ans, de ce futur ami de génie, *le Jardin de Bérénice*, m'avait laissée, comme il convenait, ignorante de ses grâces libertines. J'appris plus tard aussi ses mésaventures heureuses : le nom de « la petite Descousse », jeune Arlésienne présentée à Barrès par l'aubergiste méridional, était devenu, par la faute des typographes et au grand amusement de l'auteur, qui maintint les syllabes erronées, *Petite Secousse*. J'ignorais la célébrité qu'avait déjà le jeune Maurice Barrès, mais je riais du récit que nous faisait le prince de Polignac d'une manifestation politique en Lorraine, où la sonorité de Polignac avait fait jaillir parmi l'auditoire populaire le cri imprévu de « Vive la Pologne ! »

Frileux, notre ami ne quittait guère, même dans une chambre que tiédissait un feu de bois, un moelleux châle en laine d'Ecosse qu'il tenait plié sur son bras, en cas d'urgent emploi. Un jour, comme le juvénile Marcel Proust lui faisait remarquer l'aspect de touriste opiniâtre que lui donnait ce plaid, il répondit avec une gravité qui marquait moqueusement sa résolution de liberté et son bon plaisir : « Anaxagore l'a dit, la vie est un voyage… »

ISBN : 978-3-96787-357-3

CPSIA information can be obtained
at www.ICGtesting.com
Printed in the USA
BVHW031642200921
617135BV00001B/57